'사고력수학의 시작'

# 팡세

## C4

3학년 | 카운팅

사고가 자라는 수학

씨투엠

# 사고력 수학을 묻고
## 팡세가 답해요

### Q: 사고력 수학은 '왜' 해야 하나요?

사고력 수학은 아이에게 낯선 문제를 접하게 함으로써 여러 가지 문제 해결 방법을 아이 스스로 생각하게 하는 것에 목적이 있어요. 정석적인 한 가지 풀이법만 알고 있는 아이는 결국 중등 이후에 나오는 응용 문제에 대한 해결력이 현저히 떨어지게 되지요. 반면 사고력 수학을 통해 여러 가지 풀이법을 스스로 생각하고 알아낸 경험이 있는 아이들은 한 번 막히는 문제도 다른 방법으로 뚫어낼 힘이 생기게 된답니다. 이러한 힘을 기르는 데 있어 사고력 수학이 가장 크게 도움이 된다고 확신해요.

### Q: 사고력 수학이 '필수'인가요?

No but Yes! 초등 수학에서 가장 필수적인 것은 교과와 연산이지요. 또 중등에서의 서술형 평가를 대비하기 위한 서술형 학습과 어려운 중등 도형을 헤쳐나가기 위한 도형 학습 정도를 추가하면 돼요. 사고력 수학은 그 다음으로 중요하다고 할 수 있어요. 다만 만약 중등 이후에도 상위권을 꾸준하게 유지하겠다고 하시면 사고력 수학은 필수랍니다.

### Q: 사고력 수학, 꼭 '어려운' 문제를 풀어야 하나요?

No! 기존의 사고력 수학 교재가 어려운 이유는 영재교육원 입시 때문이었어요. 상위권 중에서도 더 잘하는 아이, 즉 영재를 골라내는 시험에 사고력수학 문제가 단골로 출제되었고, 이에 대비하기 위해 만들어진 것이 초창기 사고력 수학 교재이지요. 하지만 모든 아이들이 영재일 수는 없고, 또 그래야할 필요도 없어요. 사고력 수학으로 영재를 확실하게 선별할 수 있는 것도 아니에요. 따라서 사고력 수학의 원래 목적, 즉 새로운 문제를 풀 수 있는 능력만 기를 수 있다면 난이도는 중요하지 않답니다. 오히려 어려운 문제는 수학에 대한 아이들의 자신감을 떨어뜨리는 부작용이 있다는 점! 반드시 기억해야 해요.

### Q: 사고력 수학 학습에서 어떤 점에 '유의'해야 할까요?

가장 중요한 것은 아이가 스스로 방법을 생각할 수 있는 시간을 충분히 주는 거예요. 엄마나 선생님이 옆에서 방법을 바로 알려주거나 해답지를 줘버리면 사고력 수학의 효과는 없는 거나 마찬가지랍니다. 설령 문제를 못 풀더라도 아이가 스스로 고민하는 습관을 가지고, 방법을 찾아가는 시간을 늘리는 것이 아이의 문제해결력과 집중력을 기르는 방법이라고 꼭 새기며 아이가 스스로 발전할 수 있는 가능성을 믿어 보세요.

또 하나 더 강조하고 싶은 것은 문제의 답을 모두 맞힐 필요가 없다는 거예요. 사고력 수학 문제를 백점 맞는다고 해서 바로 성적이 쑥쑥 오르는 것이 아니에요. 사고력 수학은 훗날 아이가 더 어려운 문제를 풀기 위한 수학적 힘을 기르는 과정으로 봐야 하는 거지요. 그러니 아이가 하나 맞히고 틀리는 것에 일희일비하지 말고 우리 아이가 문제를 어떤 방법으로 풀려고 했고, 왜 어려워 하는지 표현하게 하는 것이 훨씬 중요하답니다. 사고력 수학은 문제의 결과인 답보다 답을 찾아가는 과정 그 자체에 의미가 있다는 사실을 꼭! 꼭! 기억해 주세요.

## 팡세의 구성과 특징

1. 패턴, 퍼즐과 전략, 유추, 카운팅 - 새로운 시대에 맞는 새로운 사고력 영역!

2. 아이가 혼자서도 술술 풀어나가며 자신감을 기르기에 딱 좋은 난이도!

3. 하루 10분 1장만 풀어도 초등에서 꼭 키워야 하는 사고력을 쑥쑥!

### 일일 소주제 학습

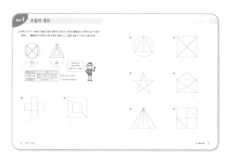

하루에 10분씩 매일 1장씩만 꾸준히 풀면 돼.

5일 동안 배운 것 중 가장 중요한 문제를 복습하는 거야!

### 주차별 확인학습

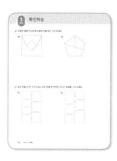

### 월간 마무리 평가

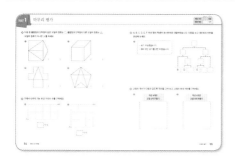

4주 동안 공부한 내용 중 어디가 부족한지 알 수 있다. 삐리삐리~

# 이 책의 차례

## C4

pensées

# 오일러 경로

✏️ 한붓그리기가 가능한 도형을 오일러 경로라고 합니다. 다음 중 출발점과 도착점이 같은 오일러 경로는 ○, 출발점과 도착점이 다른 오일러 경로는 △, 오일러 경로가 아니면 ✕를 하세요.

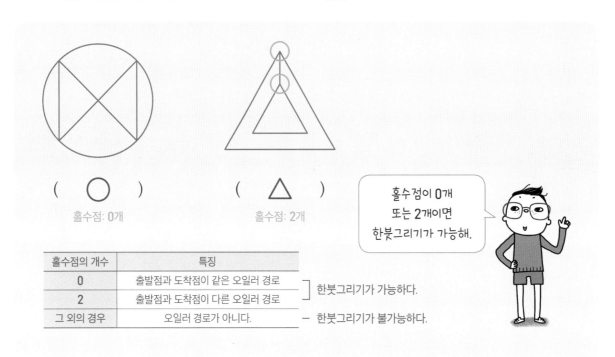

| 홀수점의 개수 | 특징 | |
|---|---|---|
| 0 | 출발점과 도착점이 같은 오일러 경로 | 한붓그리기가 가능하다. |
| 2 | 출발점과 도착점이 다른 오일러 경로 | |
| 그 외의 경우 | 오일러 경로가 아니다. | 한붓그리기가 불가능하다. |

홀수점이 **0**개 또는 **2**개이면 한붓그리기가 가능해.

❶

❷

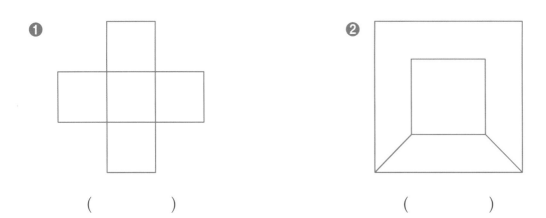

(       )

(       )

❸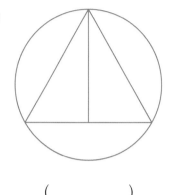

(       )

❹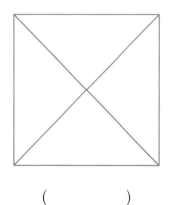

(       )

❺

(       )

❻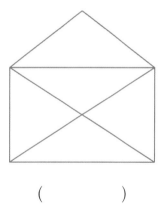

(       )

❼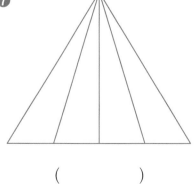

(       )

❽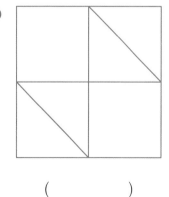

(       )

# 오일러 경로 만들기

✎ 오일러 경로가 되도록 도형에 선을 하나 그어 보세요.

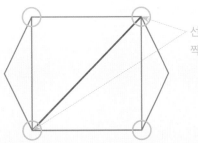

선을 이으면 홀수점에서
짝수점으로 바뀝니다.

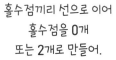

홀수점끼리 선으로 이어
홀수점을 **0**개
또는 **2**개로 만들어.

홀수점 **4**개 중에서 **2**개를 선으로 이으면 두 점은 짝수점이 됩니다.
따라서 홀수점이 **2**개이므로 오일러 경로입니다.
또한 선을 그을 때에는 반드시 직선으로 그을 필요는 없습니다.

❶
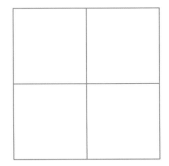

❷
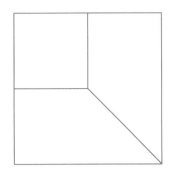

❸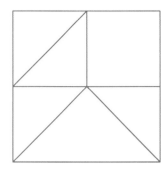

❹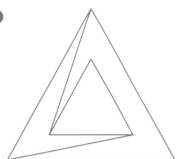

❺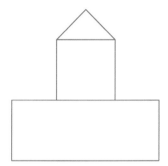

❻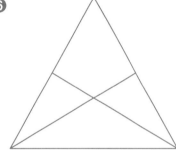

❼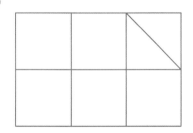

❽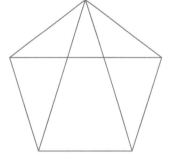

✏️ 출발점에서 시작하여 각 방을 한 번씩만 모두 지날 수 있는 것에 ○표, 지날 수 없는 것에 ✕표 하세요. 가로, 세로로만 이동할 수 있습니다.

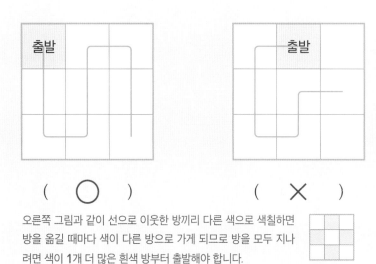

( ◯ )   ( ✕ )

오른쪽 그림과 같이 선으로 이웃한 방끼리 다른 색으로 색칠하면 방을 옮길 때마다 색이 다른 방으로 가게 되므로 방을 모두 지나려면 색이 1개 더 많은 흰색 방부터 출발해야 합니다.

오른쪽 문제는 모두 통과하는 것이 불가능하구나.

❶

|  |  | 출발 |
|---|---|---|
|  |  |  |
|  |  |  |

( )

|  |  |  |
|---|---|---|
|  | 출발 |  |
|  |  |  |

( )

|  |  |  |
|---|---|---|
|  |  | 출발 |
|  |  |  |

( )

❷

출발

출발

(          )

(          )

❸

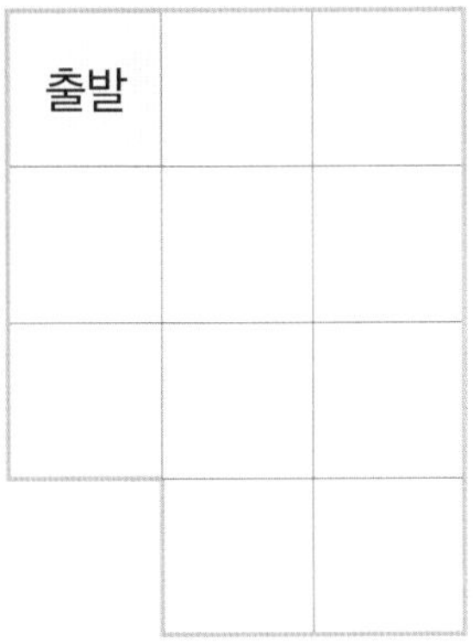

출발

출발

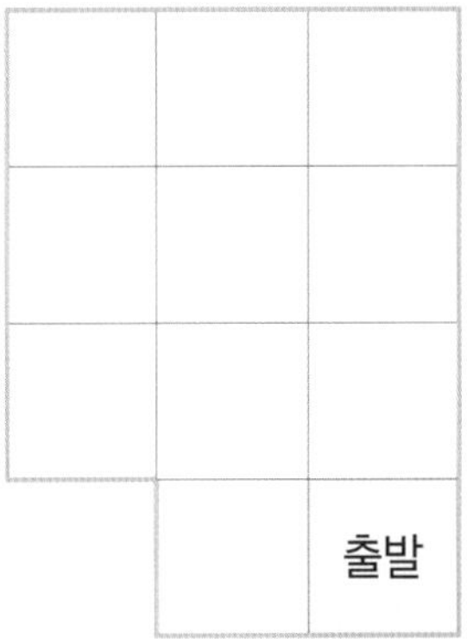

출발

(          )

(          )

(          )

❹

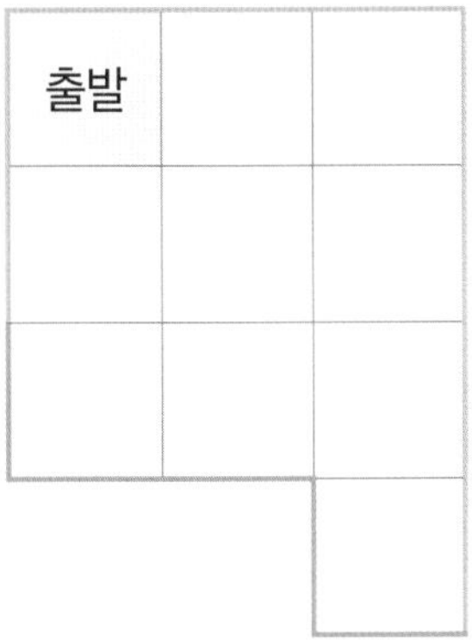

출발

출발

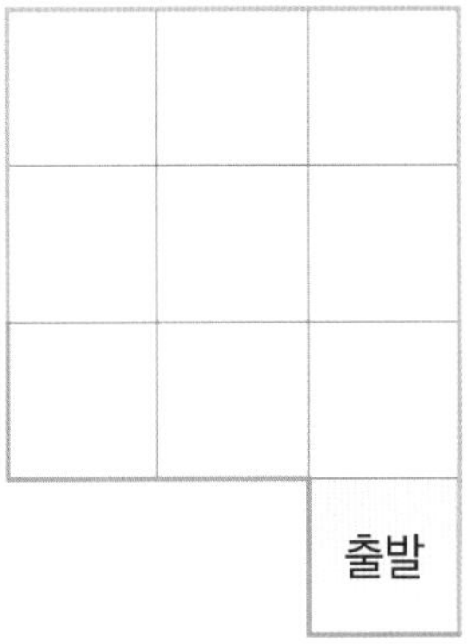

출발

(          )

(          )

(          )

# 점과 선으로 나타내기

✏️ 방은 점으로, 문은 점과 점을 연결하는 선으로 나타낸 다음 홀수점을 찾아 ○표 하세요.

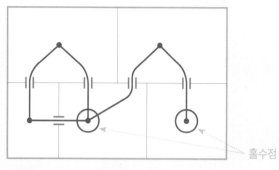

홀수점

먼저 방의 가운데에 점을 찍은 후 점과 점 사이에
문이 있으면 문을 지나가도록 선으로 연결합니다.

점과 점을 연결할 때 직선, 곡선
상관없으니 꺾이지만 않도록
부드럽게 연결하도록 해.

❶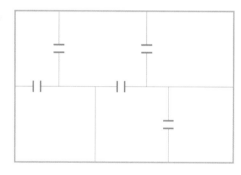

❷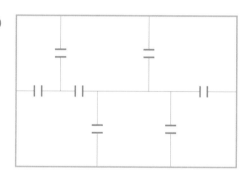

❸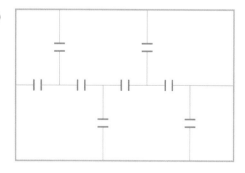

❹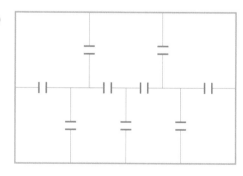

**❺**

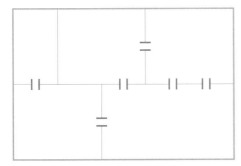

**❻**

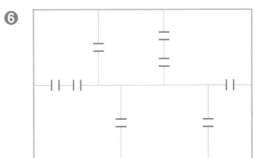

**❼**

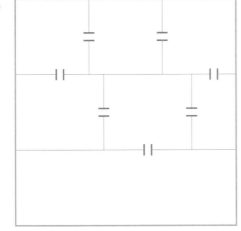

**❽**

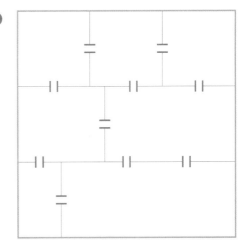

✏️ 같은 문을 두 번 지나지 않고 모든 문을 한 번씩만 지나는 경로를 그려 보세요.

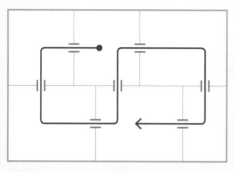

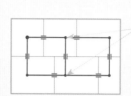

문이 홀수 개 연결된 방이 하나도 없으면 어떤 방에서 출발해도 상관없지만 2개이면 반드시 문이 홀수 개 연결된 방에서 출발해야 합니다.

홀수점이 2개인 도형의 한붓그리기는 한 홀수점에서 출발하면 다른 홀수점에서 끝납니다.

결국은 한붓그리기와 같은 문제임을 알 수 있겠지?

❶

❷
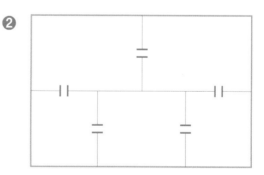

❸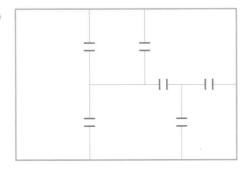

❹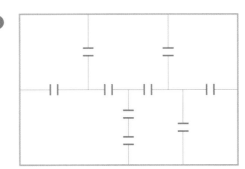

❺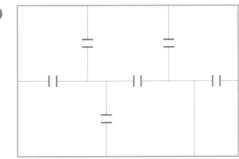

❻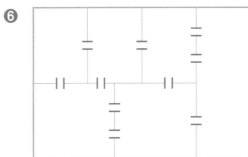

❼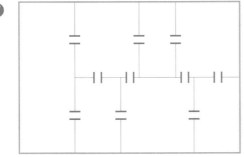

❽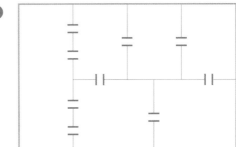

💠 오일러 경로가 되도록 도형에 선을 하나 그어 보세요.

❶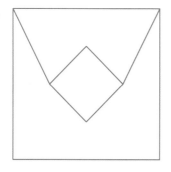

❷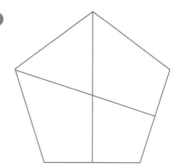

💠 같은 문을 두 번 지나지 않고 모든 문을 한 번씩만 지나는 경로를 그려 보세요.

❸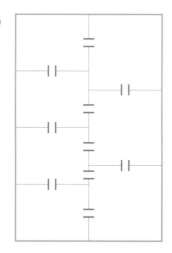

❹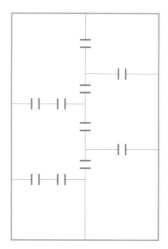

# 최단 거리의 수

# 최단 거리의 수

✎ **가**에서 **나**까지 가는 최단 거리의 수를 구하세요.

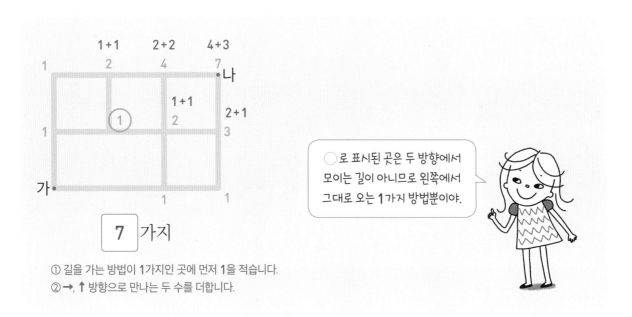

◯로 표시된 곳은 두 방향에서 모이는 길이 아니므로 왼쪽에서 그대로 오는 **1**가지 방법뿐이야.

① 길을 가는 방법이 **1**가지인 곳에 먼저 **1**을 적습니다.
② →, ↑ 방향으로 만나는 두 수를 더합니다.

❶

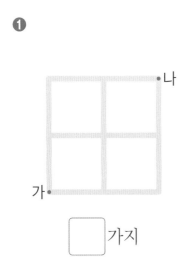

☐ 가지

❷

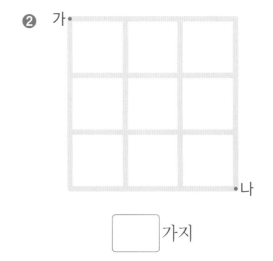

☐ 가지

**❸**

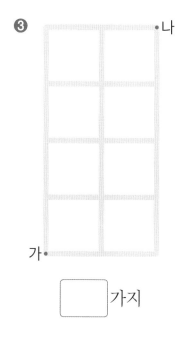

☐ 가지

**❹**

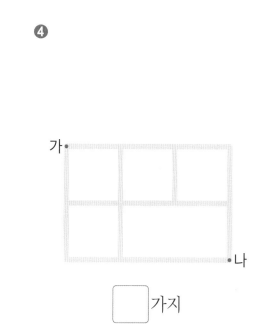

☐ 가지

**❺**

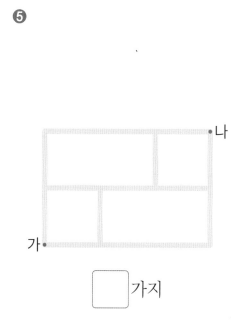

☐ 가지

**❻**

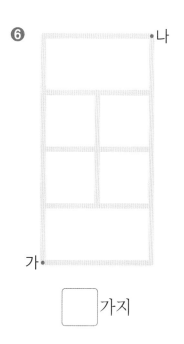

☐ 가지

# 들렀다 가기

✏️ **가**에서 **나**를 지나 **다**까지 가는 최단 거리의 수를 구하세요.

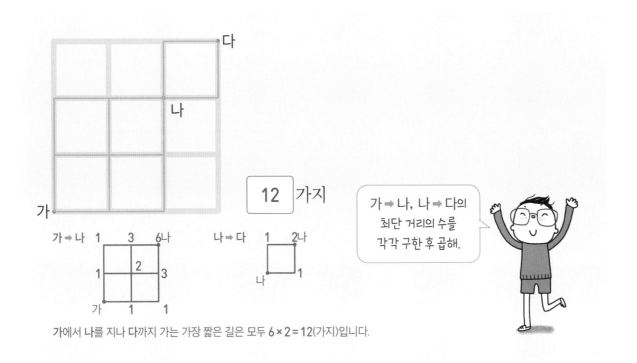

12 가지

가 ➡ 나, 나 ➡ 다의
최단 거리의 수를
각각 구한 후 곱해.

가에서 **나**를 지나 **다**까지 가는 가장 짧은 길은 모두 6 × 2 = 12(가지)입니다.

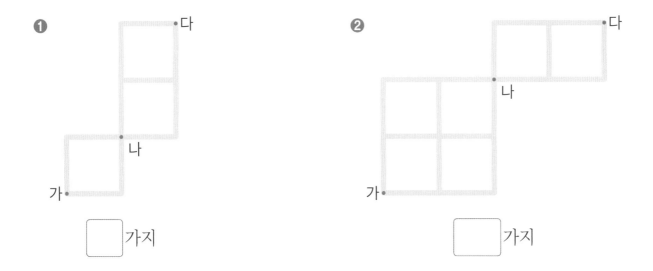

❶

☐ 가지

❷

☐ 가지

❸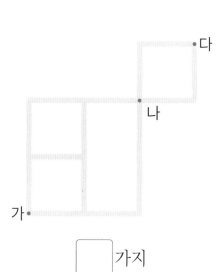

□ 가지

❹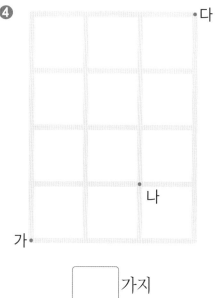

□ 가지

❺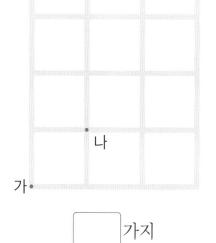

□ 가지

❻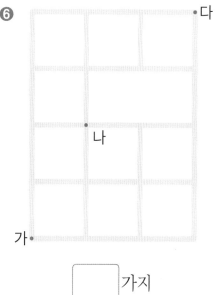

□ 가지

◆ **가**에서 **나**까지 가는 최단 거리의 수를 구하세요.

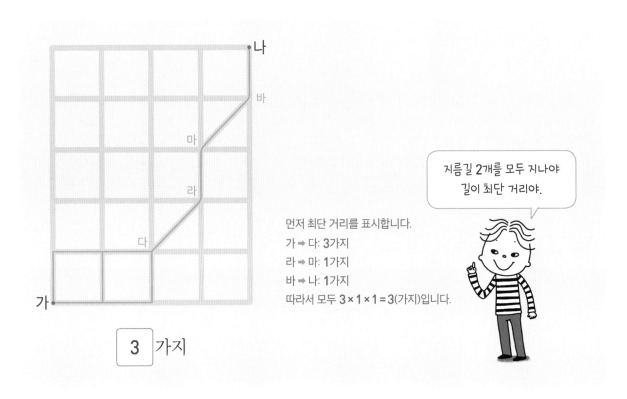

먼저 최단 거리를 표시합니다.
가 ➡ 다: **3**가지
라 ➡ 마: **1**가지
바 ➡ 나: **1**가지
따라서 모두 **3 × 1 × 1 = 3**(가지)입니다.

> 지름길 2개를 모두 지나야
> 길이 최단 거리야.

  3  가지

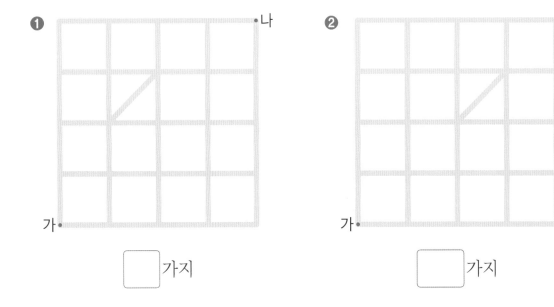

❶

❷

  가지        가지

❸ 나

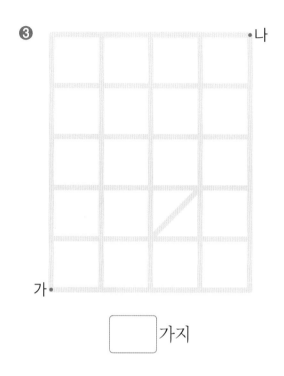

[ ] 가지

❹ 나

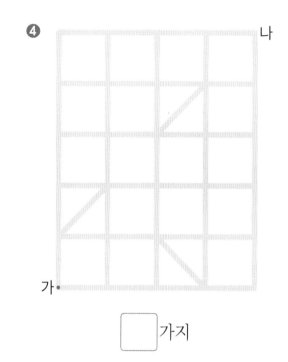

[ ] 가지

❺ 나

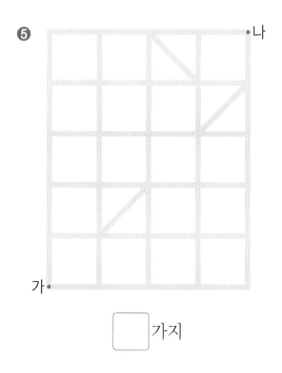

[ ] 가지

❻ 나

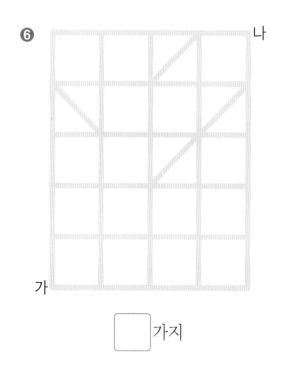

[ ] 가지

✏️ **가**에서 **나**까지 가는 최단 거리의 수를 구하세요. 길이 막힌 곳은 갈 수 없습니다.

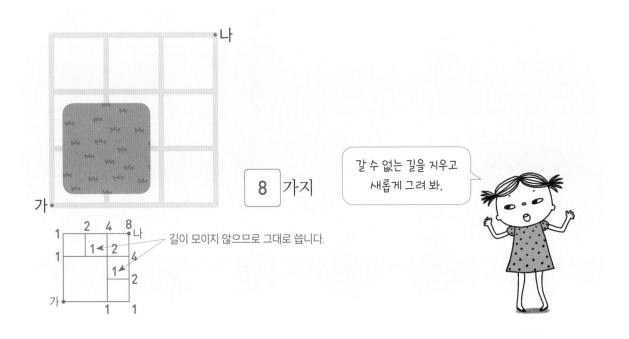

8 가지

길이 모이지 않으므로 그대로 씁니다.

갈 수 없는 길을 지우고
새롭게 그려 봐.

❶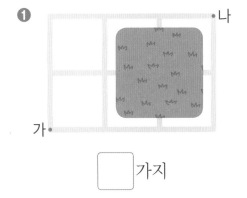

☐ 가지

❷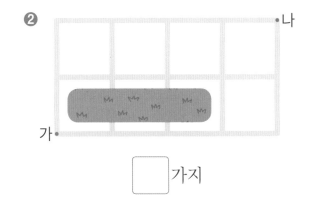

☐ 가지

❸

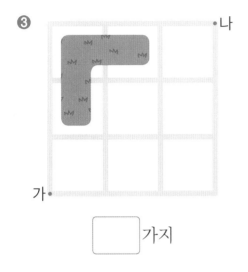

☐ 가지

❹

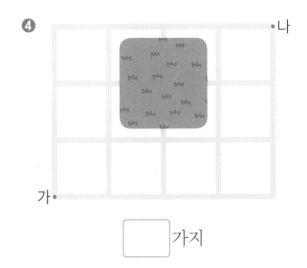

☐ 가지

❺

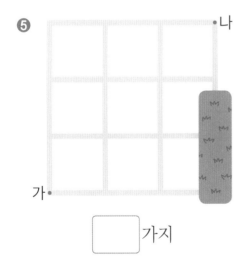

☐ 가지

❻

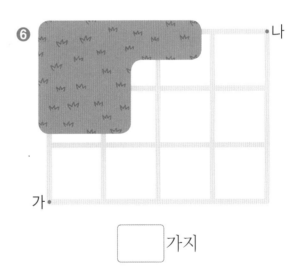

☐ 가지

✏️ **가**에서 **나**까지 가는 최단 거리의 수를 구하세요. 단, 화살표 표시가 된 길은 화살표 방향으로만 갈 수 있습니다.

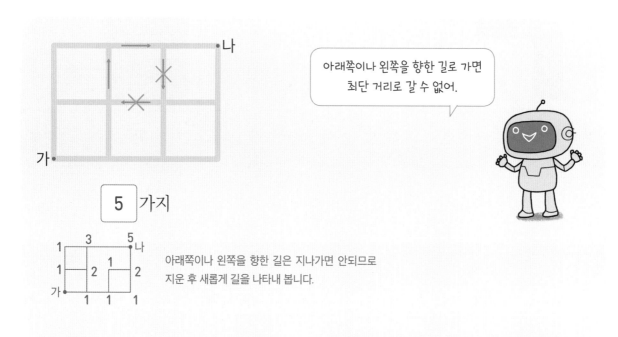

아래쪽이나 왼쪽을 향한 길로 가면 최단 거리로 갈 수 없어.

5 가지

아래쪽이나 왼쪽을 향한 길은 지나가면 안되므로 지운 후 새롭게 길을 나타내 봅니다.

❶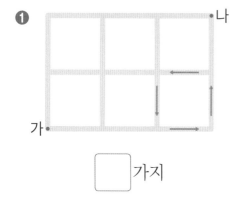

❷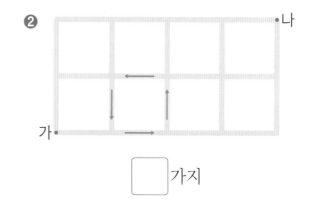

가지

가지

❸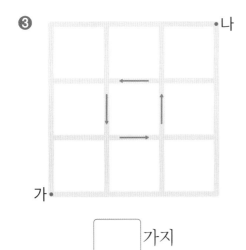

☐ 가지

❹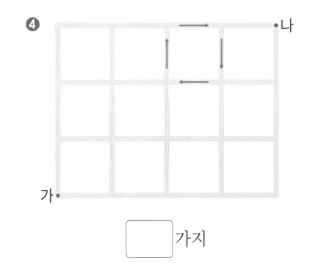

☐ 가지

❺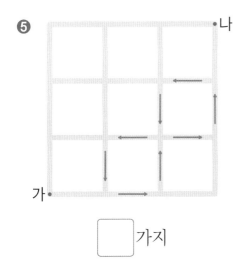

☐ 가지

❻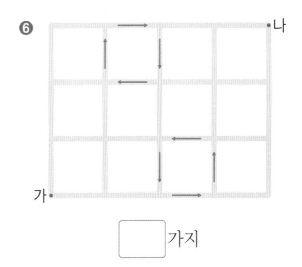

☐ 가지

**2** **주차** 확인학습

✏️ **가**에서 **나**까지 가는 최단 거리의 수를 구하세요. 길이 막힌 곳은 갈 수 없습니다.

❶
나

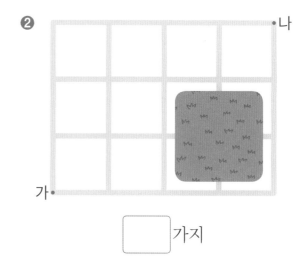

가

[ ] 가지

❷
나

가

[ ] 가지

✏️ **가**에서 **나**까지 가는 최단 거리의 수를 구하세요. 단 화살표 표시가 된 길은 화살표 방향으로만 갈 수 있습니다.

❸

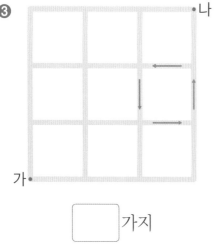

가

[ ] 가지

❹

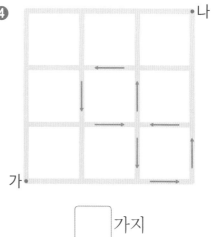

가

[ ] 가지

# 순서가 없는 가짓수

# 순서 없이 2개 선택하기

✏️ 순서 없이 2개를 선택하는 방법은 모두 몇 가지인지 구하세요.

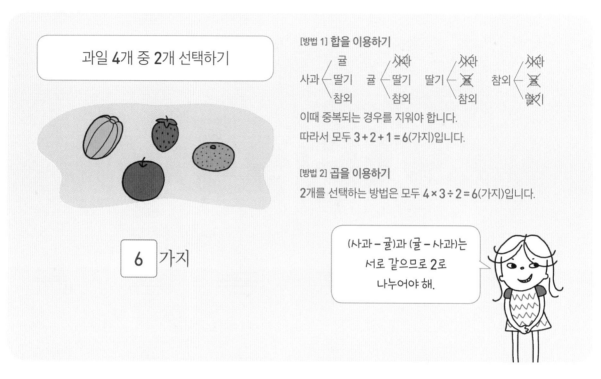

과일 4개 중 2개 선택하기

**6** 가지

[방법 1] 합을 이용하기

사과 ← 귤 / 딸기 / 참외    귤 ← 딸기 / 참외    딸기 ← 참외    참외 ←

이때 중복되는 경우를 지워야 합니다.
따라서 모두 3 + 2 + 1 = 6(가지)입니다.

[방법 2] 곱을 이용하기

2개를 선택하는 방법은 모두 4 × 3 ÷ 2 = 6(가지)입니다.

(사과 – 귤)과 (귤 – 사과)는
서로 같으므로 2로
나누어야 해.

❶ 학용품 3개 중 2개 선택하기

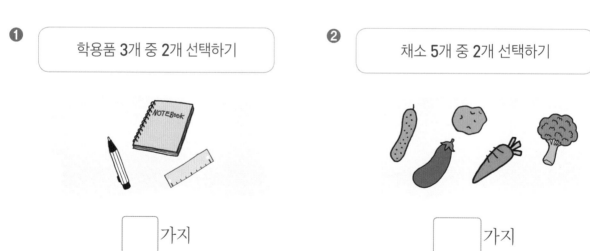

☐ 가지

❷ 채소 5개 중 2개 선택하기

☐ 가지

❸ 구슬 **6**개 중 **2**개 선택하기

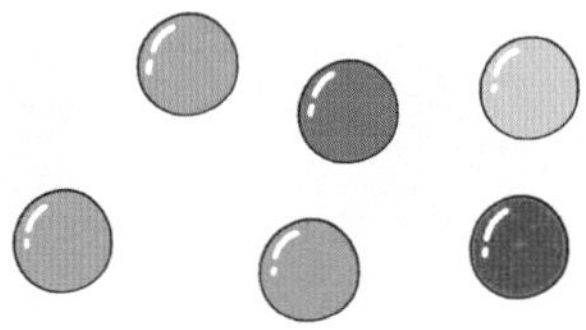

⬜ 가지

❹ **4**명 중 대표 **2**명 뽑기

⬜ 가지

❺ 옷 **8**벌 중에서 **2**벌 선택하기

⬜ 가지

❻ **7**명 중 청소 당번 **2**명 뽑기

⬜ 가지

# 1개, 2개 남겨놓고 선택하기

✒️ 주어진 조건대로 선택하는 방법은 모두 몇 가지인지 구하세요.

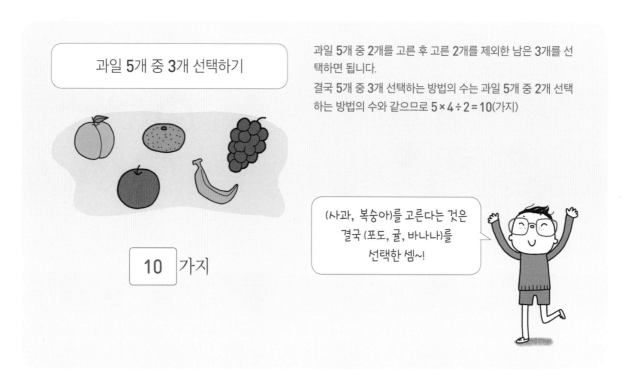

과일 **5**개 중 **3**개 선택하기

과일 5개 중 2개를 고른 후 고른 2개를 제외한 남은 3개를 선택하면 됩니다.

결국 5개 중 3개 선택하는 방법의 수는 과일 5개 중 2개 선택하는 방법의 수와 같으므로 5 × 4 ÷ 2 = 10(가지)

10 가지

(사과, 복숭아)를 고른다는 것은 결국 (포도, 귤, 바나나)를 선택한 셈~!

❶

학용품 **4**개 중 **3**개 선택하기

가지

❷

음료수 **5**개 중 **4**개 선택하기

가지

❸
공 6개 중 4개 선택하기

☐ 가지

❹
5명 중 대표 3명 뽑기

☐ 가지

❺
채소 7개 중 5개 선택하기

☐ 가지

❻
8명 중 대회 참가자 6명 뽑기

☐ 가지

✎ 두 점을 이어 만든 선분의 개수와 서로 한 번씩 악수하는 횟수를 구해 보세요.

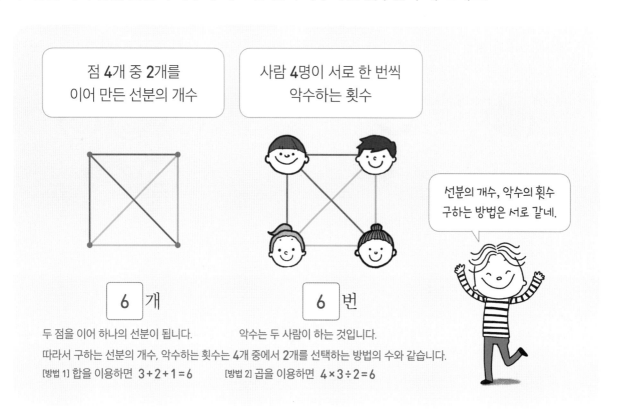

점 **4**개 중 **2**개를
이어 만든 선분의 개수

사람 **4**명이 서로 한 번씩
악수하는 횟수

선분의 개수, 악수의 횟수
구하는 방법은 서로 같네.

6 개

6 번

두 점을 이어 하나의 선분이 됩니다.  악수는 두 사람이 하는 것입니다.

따라서 구하는 선분의 개수, 악수하는 횟수는 **4**개 중에서 **2**개를 선택하는 방법의 수와 같습니다.

[방법 1] 합을 이용하면  $3 + 2 + 1 = 6$       [방법 2] 곱을 이용하면  $4 \times 3 \div 2 = 6$

❶

점 **3**개 중 **2**개를
이어 만든 선분의 개수

사람 **3**명이 서로 한 번씩
악수하는 횟수

□ 개

□ 번

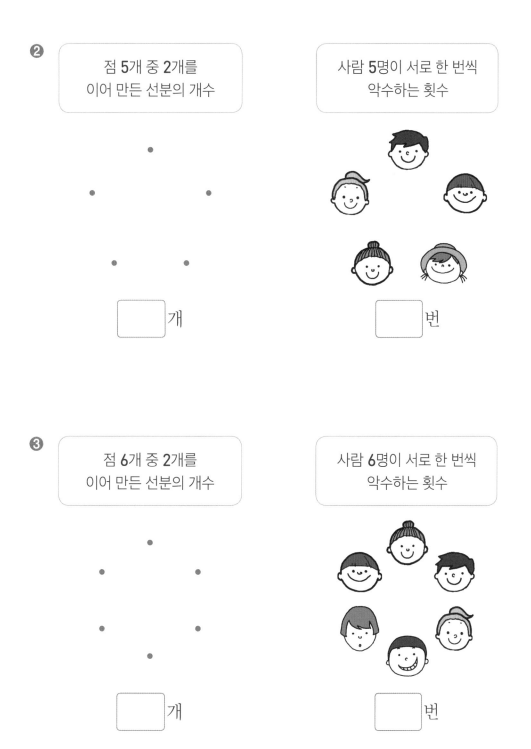

❷

점 **5**개 중 **2**개를
이어 만든 선분의 개수

사람 **5**명이 서로 한 번씩
악수하는 횟수

개

번

❸

점 **6**개 중 **2**개를
이어 만든 선분의 개수

사람 **6**명이 서로 한 번씩
악수하는 횟수

개

번

# 리그와 토너먼트

✏️ 리그는 모든 팀이 서로 한 번씩 경기하여 순위를 결정하는 경기 방식이고, 토너먼트는 대진표에 따라 경기를 하여 진 팀은 바로 탈락하고, 이긴 팀끼리 경기하여 우승팀을 정하는 경기 방식입니다. 리그와 토너먼트의 경기 수를 구해 보세요.

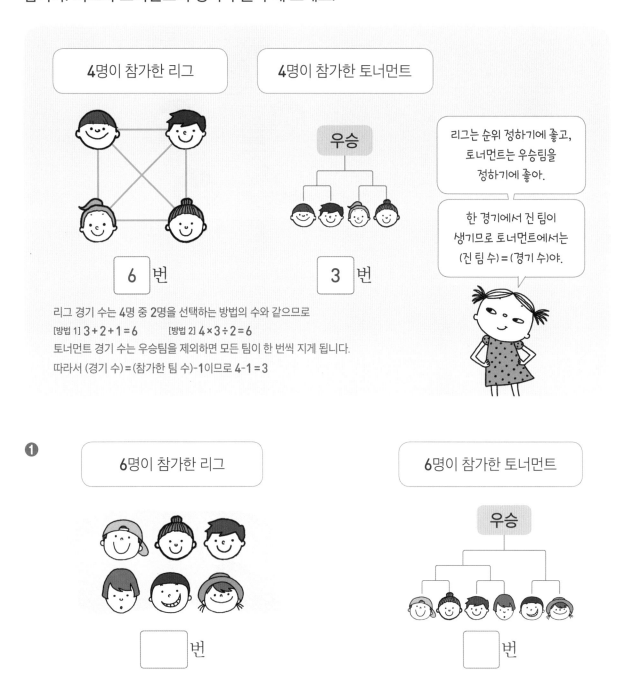

**4명이 참가한 리그**

**4명이 참가한 토너먼트**

우승

리그는 순위 정하기에 좋고, 토너먼트는 우승팀을 정하기에 좋아.

한 경기에서 진 팀이 생기므로 토너먼트에서는 (진 팀 수) = (경기 수)야.

**6** 번

**3** 번

리그 경기 수는 4명 중 2명을 선택하는 방법의 수와 같으므로
[방법 1] 3 + 2 + 1 = 6     [방법 2] 4 × 3 ÷ 2 = 6
토너먼트 경기 수는 우승팀을 제외하면 모든 팀이 한 번씩 지게 됩니다.
따라서 (경기 수) = (참가한 팀 수) - 1이므로 4 - 1 = 3

❶

**6명이 참가한 리그**

**6명이 참가한 토너먼트**

우승

〔 〕 번

〔 〕 번

❷

| 8명이 참가한 리그 |
|---|

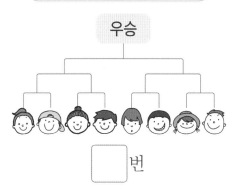

| 8명이 참가한 토너먼트 |
|---|

우승

[ ] 번

[ ] 번

❸

| 10명이 참가한 리그 |
|---|

| 10명이 참가한 토너먼트 |
|---|

우승

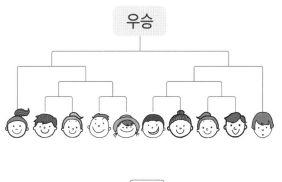

[ ] 번

[ ] 번

🖊 다음을 보고 토너먼트 대진표의 빈칸을 완성해 보세요.

- A, B, C, D 네 명의 학생이 토너먼트로 대결하였습니다.
- B는 D에게 졌습니다.
- C가 우승하였습니다.

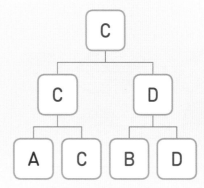

C가 우승하였으므로 B와 D는 맨 처음에 대결하였습니다.

위로 올라갈수록 이긴 학생의 이름을 계속 쓰면 돼.

❶
- A, B, C, D 네 명의 학생이 토너먼트로 대결하였습니다.
- A는 경기를 2번 하였습니다.
- C는 B에게 이겼지만 A에게 졌습니다.

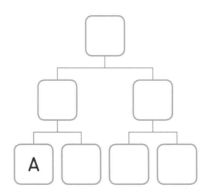

❷
- A, B, C, D, E, F 여섯 명의 학생이 토너먼트로 대결하였습니다.
- F는 경기를 3번 하였습니다.
- C와 D는 경기를 2번 하였습니다.
- E를 이긴 학생이 우승하였습니다.

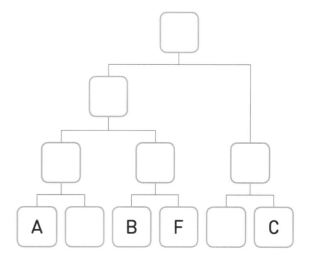

❸
- A, B, C, D, E, F 여섯 명의 학생이 토너먼트로 대결하였습니다.
- A, C, E, F는 경기를 1번만 하였습니다.
- B는 C와 맨 처음 대결하였습니다.
- F를 이긴 학생은 우승하지 못했습니다.

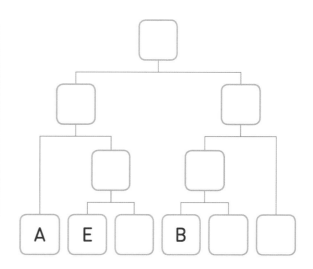

✏ 주어진 조건대로 선택하는 방법은 모두 몇 가지인지 구하세요.

**❶**

| 6명 중 대표 **2**명 뽑기 |

☐ 가지

**❷**

| 6명 중 대표 **4**명 뽑기 |

☐ 가지

✏ 리그와 토너먼트의 경기 수를 구해 보세요.

**❸**

| **7**명이 참가한 리그 |

☐ 번

| **7**명이 참가한 토너먼트 |

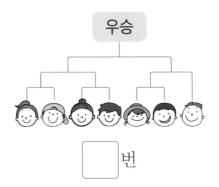

☐ 번

**4** 주차

# 교점과 영역

✏️ 선과 선이 만나서 생기는 점을 교점이라고 합니다. 다음 그림에서 직선과 교점의 개수를 세어 보세요.

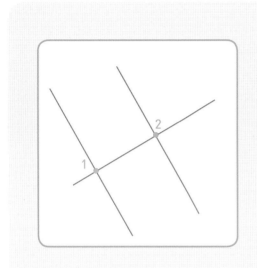

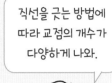
직선을 긋는 방법에 따라 교점의 개수가 다양하게 나와.

직선의 개수: 3 개

교점의 개수: 3 개

❶
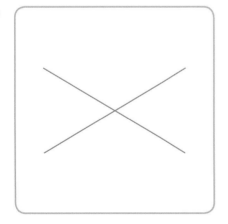

직선의 개수: ☐ 개

교점의 개수: ☐ 개

❷
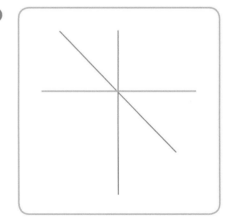

직선의 개수: ☐ 개

교점의 개수: ☐ 개

❸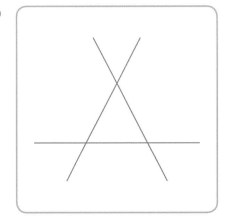

직선의 개수: ☐ 개

교점의 개수: ☐ 개

❹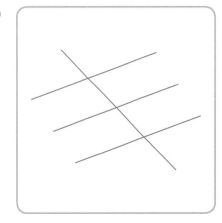

직선의 개수: ☐ 개

교점의 개수: ☐ 개

❺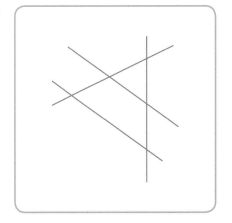

직선의 개수: ☐ 개

교점의 개수: ☐ 개

❻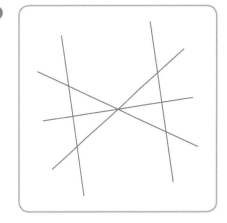

직선의 개수: ☐ 개

교점의 개수: ☐ 개

✏️ 원과 같은 도형에 직선을 그었을 때 나누어지는 부분을 영역이라고 합니다. 다음 그림에서 직선과 영역의 개수를 세어 보세요.

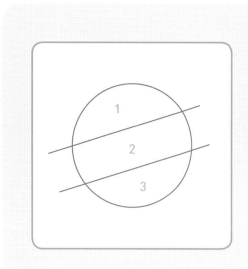

영역의 개수는 도형을 직선을 따라 잘랐을 때 나오는 조각의 수와 같아.

직선의 개수: 2 개

영역의 개수: 3 부분

❶

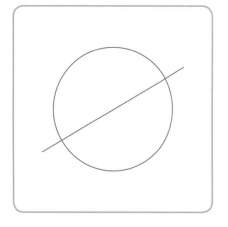

직선의 개수: ☐ 개

영역의 개수: ☐ 부분

❷

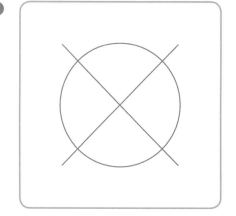

직선의 개수: ☐ 개

영역의 개수: ☐ 부분

❸

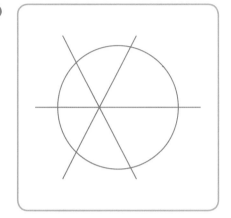

직선의 개수: ☐ 개

영역의 개수: ☐ 부분

❹

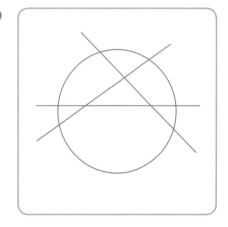

직선의 개수: ☐ 개

영역의 개수: ☐ 부분

❺

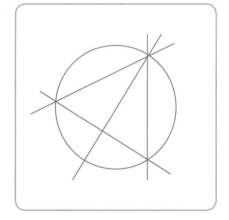

직선의 개수: ☐ 개

영역의 개수: ☐ 부분

❻

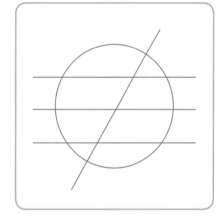

직선의 개수: ☐ 개

영역의 개수: ☐ 부분

# 조건에 맞게 직선 긋기

✏ 교점 또는 영역의 개수가 다음과 같도록 직선을 그어 보세요.

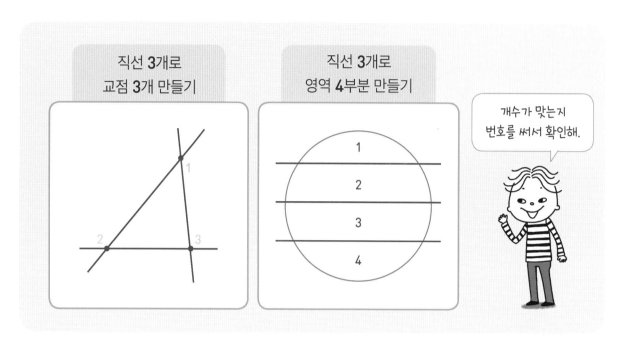

① 직선 **3**개로
교점 **2**개 만들기

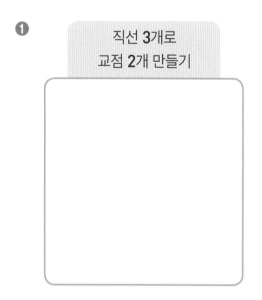

② 직선 **2**개로
영역 **3**부분 만들기

❸

직선 **4**개로
교점 **1**개 만들기

❹

직선 **3**개로
영역 **5**부분 만들기

❺

직선 **4**개로
교점 **6**개 만들기

❻

직선 **3**개로
영역 **7**부분 만들기

# 교점의 최대 개수

✏️ 교점이 최대 개수가 되도록 직선 1개를 더 긋고, 교점의 최대 개수를 구하세요.

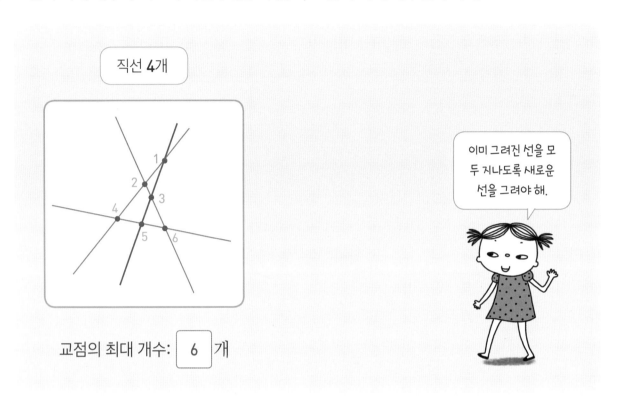

직선 **4**개

이미 그려진 선을 모두 지나도록 새로운 선을 그려야 해.

교점의 최대 개수: 6 개

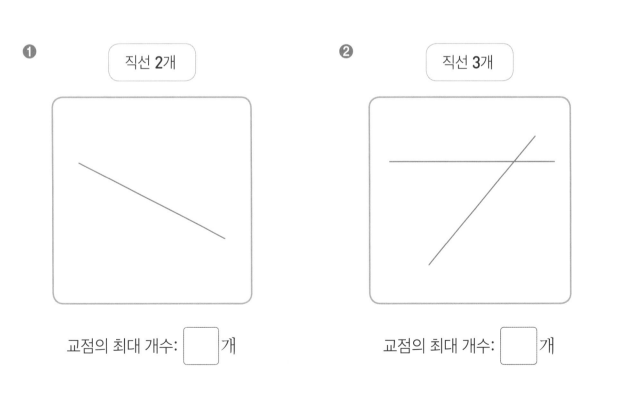

❶ 직선 **2**개

교점의 최대 개수: ☐ 개

❷ 직선 **3**개

교점의 최대 개수: ☐ 개

❸

직선 5개

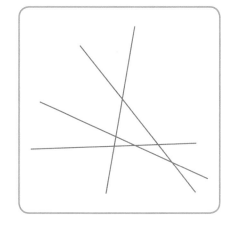

교점의 최대 개수: ☐ 개

❹

직선 6개

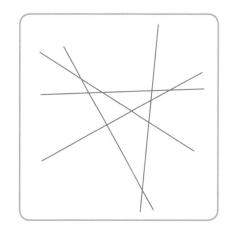

교점의 최대 개수: ☐ 개

✎ 직선의 개수와 교점의 최대 개수의 규칙을 찾아 표를 완성해 보세요.

❺

| 직선의 개수(개) | 2 | 3 | 4 | 5 | 6 | 7 | 8 | …… |
|---|---|---|---|---|---|---|---|---|
| 교점의 최대 개수(개) | | | 6 | | | | | …… |

# 영역의 최대 개수

✏️ 영역이 최대 개수가 되도록 직선 1개를 더 긋고, 영역의 최대 개수를 구하세요.

직선 **3개**

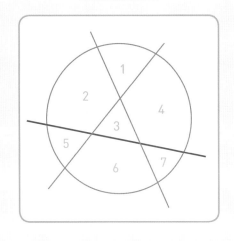

영역의 최대 개수: **7** 부분

교점이 최대 개수가 되게 그으면 돼.

❶ 직선 **1개**

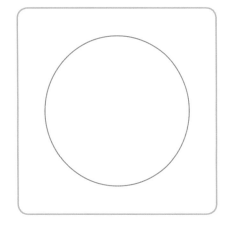

영역의 최대 개수: [ ] 부분

❷ 직선 **2개**

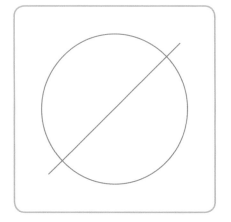

영역의 최대 개수: [ ] 부분

❸ 직선 4개

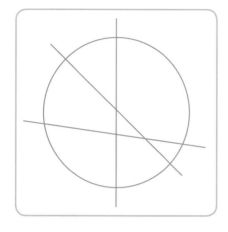

영역의 최대 개수: ☐ 부분

❹ 직선 5개

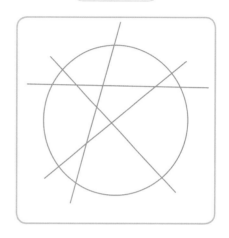

영역의 최대 개수: ☐ 부분

✎ 직선의 개수와 영역의 최대 개수의 규칙을 찾아 표를 완성해 보세요.

❺

| 직선의 개수(개) | 1 | 2 | 3 | 4 | 5 | 6 | 7 | …… |
|---|---|---|---|---|---|---|---|---|
| 영역의 최대 개수(부분) | | | 7 | | | | | …… |

✏️ 교점의 개수가 다음과 같도록 직선을 그어 보세요.

❶ 직선 **3**개로
교점 **1**개 만들기

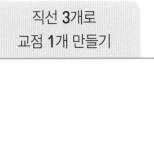

❷ 직선 **3**개로
영역 **5**부분 만들기

✏️ 직선의 개수와 영역의 최대 개수 사이의 규칙을 찾아 직선이 8개일 때 영역의 최대 개수를 구하세요.

❸

| 직선의 개수(개) | 1 | 2 | 3 | 4 | 5 | 6 | 7 | …… |
|---|---|---|---|---|---|---|---|---|
| 영역의 최대 개수(부분) | 2 | 4 | 7 | 11 | 16 | | | …… |

영역의 최대 개수: ☐ 부분

# 마무리 평가

마무리 평가는 앞에서 공부한 4주차의 유형이 다음과 같은 순서로 나와요.
틀린 문제는 몇 주차인지 확인하여 반드시 다시 한 번 학습하도록 해요.

| 1 주차 | 3 주차 |
| :---: | :---: |
| 2 주차 | 4 주차 |

❖ 다음 중 출발점과 도착점이 같은 오일러 경로는 ○, 출발점과 도착점이 다른 오일러 경로는 △,
오일러 경로가 아니면 ✕를 하세요.

❶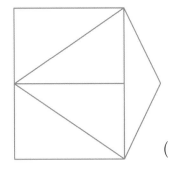
(          )

❷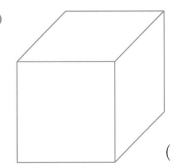
(          )

❸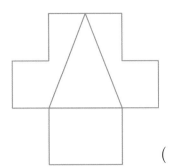
(          )

❹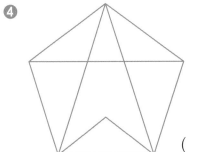
(          )

❖ 가에서 나까지 가는 최단 거리의 수를 구하세요.

❺

[   ] 가지

❻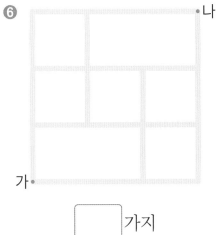

[   ] 가지

✤ A, B, C, D, E, F 여섯 명의 학생이 토너먼트로 대결하였습니다. 다음을 보고 대진표의 빈칸을 완성해 보세요.

 ❼

· A가 우승했습니다.
· B와 C만 경기를 2번 하였습니다.

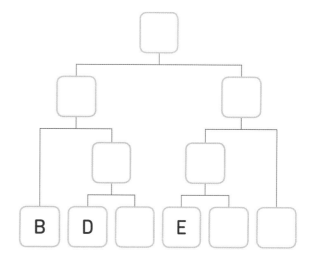

✤ 교점의 개수가 다음과 같도록 직선을 그어 보세요.

❽

직선 **4**개로
교점 **4**개 만들기

 ❾

직선 **4**개로
교점 **5**개 만들기

♣ 출발점에서 시작하여 각 방을 한 번씩만 모두 지날 수 있는 것에 ○표, 지날 수 없는 것에 ✕표 하세요. 가로, 세로로만 이동할 수 있습니다.

❶

| 출발 | | | | |
|---|---|---|---|---|
| | | | | |
| | | | | |
| | | | | |
| | | | | |

(          )

❷

| | 출발 | | | |
|---|---|---|---|---|
| | | | | |
| | | | | |
| | | | | |
| | | | | |

(          )

♣ 가에서 나까지 가는 최단 거리의 수를 구하세요. 길이 막힌 곳은 갈 수 없습니다.

❸

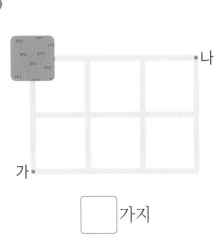

☐ 가지

❹

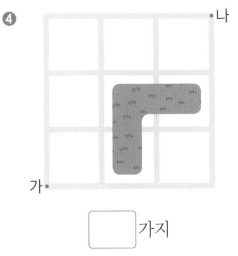

☐ 가지

♣ 순서 없이 2개를 선택하는 방법은 모두 몇 가지인지 구하세요.

❺
공 4개 중에서 2개 선택하기

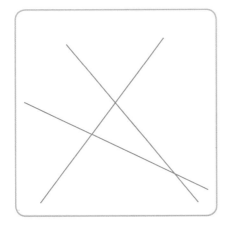

[   ]가지

❻
책 7권 중 5권 선택하기

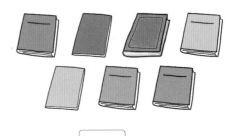

[   ]가지

♣ 교점이 최대 개수가 되도록 선을 더 긋고, 교점의 최대 개수를 구하세요.

❼
직선 4개

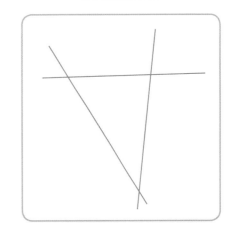

교점의 최대 개수: [   ]개

❽
직선 5개

교점의 최대 개수: [   ]개

✦ 오일러 경로가 되도록 도형에 선을 하나 그어 보세요.

❶

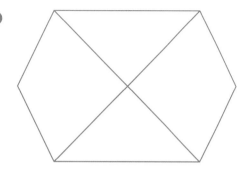

❷

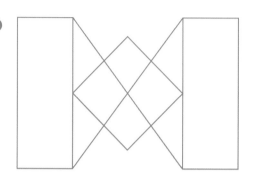

✦ **가**에서 **나**를 지나 **다**까지 가는 최단 거리의 수를 구하세요.

❸

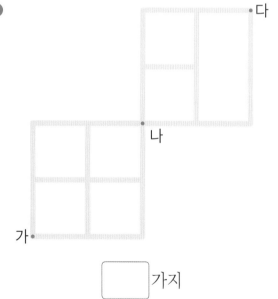

⬚ 가지

❹

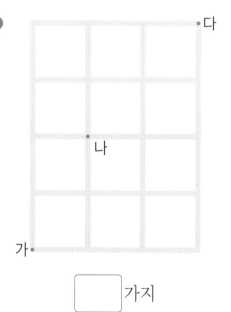

⬚ 가지

✤ 리그와 토너먼트의 경기 수를 구해 보세요.

❺

9명이 참가한 리그

◻ 번

9명이 참가한 토너먼트

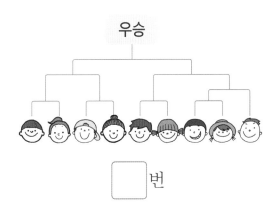

◻ 번

✤ 영역의 개수가 다음과 같도록 직선을 그어 보세요.

❻

직선 **2**개로
영역 **4**부분 만들기

❼

직선 **4**개로
영역 **7**부분 만들기

방은 점으로, 문은 점과 점을 연결하는 선으로 나타낸 다음 홀수점을 찾아 ◯표 하세요.

❶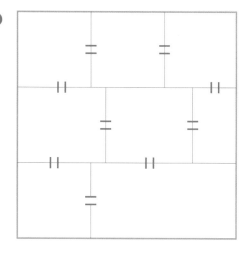

❷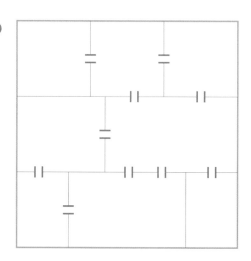

**가**에서 **나**까지 가는 최단 거리의 수를 구하세요. 단 화살표 표시가 된 길은 화살표 방향으로만 갈 수 있습니다.

❸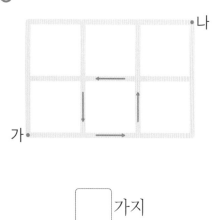

[ ]가지

❹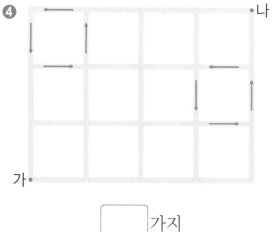

[ ]가지

✤ 두 점을 이어 만든 선분의 개수와 서로 한 번씩 악수하는 횟수를 구해 보세요.

❺

점 **7**개 중 **2**개를
이어 만든 선분의 개수

사람 **7**명이 서로 한 번씩
악수하는 횟수

☐ 개

☐ 번

✤ 영역이 최대 개수가 되도록 선을 더 긋고, 영역의 최대 개수를 구하세요.

❻

직선 **4**개

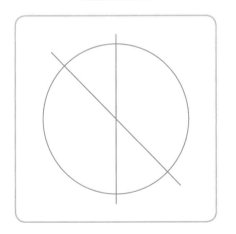

영역의 최대 개수: ☐ 부분

❼

직선 **5**개

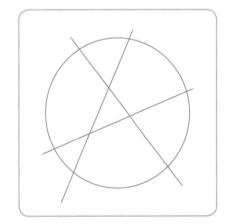

영역의 최대 개수: ☐ 부분

❖ 같은 문을 두 번 지나지 않고 모든 문을 한 번씩만 지나는 경로를 그려 보세요.

❶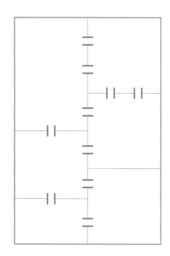

❷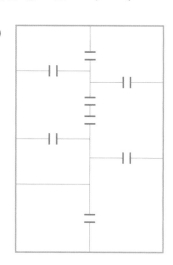

❖ **가**에서 **나**까지 가는 최단 거리의 수를 구하세요.

❸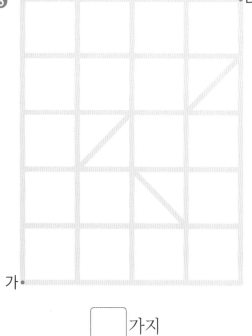

가지

❹

가지

✤ 주어진 조건대로 선택하는 방법은 모두 몇 가지인지 구하세요.

⑤
장난감 5개 중 3개 선택하기

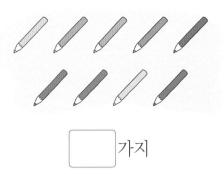

☐ 가지

⑥
색연필 9자루 중 7자루 선택하기

☐ 가지

✤ 직선의 개수와 교점의 최대 개수 사이의 규칙을 찾아 직선이 9개일 때 교점의 최대 개수를 구하세요.

⑦

| 직선의 개수(개) | 1 | 2 | 3 | 4 | 5 | 6 | 7 | …… |
|---|---|---|---|---|---|---|---|---|
| 교점의 최대 개수(개) | 1 | 3 | 6 | 10 | 15 | | | …… |

교점의 최대 개수: ☐ 개

pensées

사고가 자라는 수학
씨투엠

'사고력수학의 시작'

# 팡세

pensées

# C4

## 정답과 풀이

사고가 자라는 수학
씨투엠

# 지식과상상 연구소 <sub>since 2013</sub>

대표 한헌조, 연구소장 김성국

창의적인 **생각**   재미 가득 **활동**   의미 있는 **지식**   자유로운 **상상** 을

**수학**이라는 그릇에 아름답게 담아내겠습니다.

## 교구 프로그램

- 우리 아이 첫 번째 선물 **아토**
- 유아 수학 7대 지능 프로그램 **마테킨더**
- 유아 창의사고력 활동 수학 프로그램 **씨투엠키즈**
- 초등 창의사고력 수학 교구 프로그램 **씨투엠클래스**
- 초등 교과 창의 보드게임 **초등 수학 교구 상자**
- 사고가 자라는 수학 **매쓰업**
- 3D 두뇌 트레이닝 **지오플릭**
- 생각을 감는 두뇌회전 놀이 **릴브레인**

## 교재 시리즈

- 공간 감각을 위한 하루 10분 도형 학습지 **플라토**
- 실전 사고력 수학 프로그램 **씨투엠RAT**
- 하루 10분 서술형/문장제 학습지 **수학독해**
- 상위권으로 가는 문제해결 연산 학습지 **응용연산**
- 사고력수학의 시작 **팡세**

**수학으로 하나되는 무한 상상공간 필즈엠 카페**

| 필즈엠 ▼ |

http://cafe.naver.com/fieldsm

1. 답안지 분실 시 다운로드
2. 교구 활동지 다운로드
3. 연령별 학습 커리큘럼 제안
4. 교육 모임
5. 영상 학습자료 지원

필즈엠 카페는 최신 교육정보 및 다양한 학습자료를 자유롭게 공유하는 열린 공간입니다.

'사고력수학의 시작'

# 교재

pensées

# C4
정답과 풀이

# 1주차 오일러 경로

## 오일러 경로

한붓그리기가 가능한 도형을 오일러 경로라고 합니다. 다음 중 출발점과 도착점이 같은 오일러 경로는 ○, 출발점과 도착점이 다른 오일러 경로는 △, 오일러 경로가 아니면 ×를 하세요.

| 홀수점의 개수 | 특징 | |
| --- | --- | --- |
| 0 | 출발점과 도착점이 같은 오일러 경로 | 한붓그리기가 가능하다. |
| 2 | 출발점과 도착점이 다른 오일러 경로 | |
| 그 외의 경우 | 오일러 경로가 아니다. | 한붓그리기가 불가능하다. |

홀수 점이 0개 또는 2개이면 한붓그리기 가능해.

홀수점: 0개
( ○ )

홀수점: 2개
( △ )

직접 한붓그리기를 하여 오일러 경로인지 확인해 봅니다.

①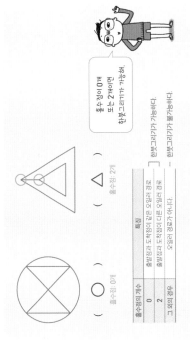
홀수점: 0개
( ○ )

②
홀수점: 4개
( × )

③
홀수점: 2개
( △ )

④
홀수점: 4개
( × )

⑤
홀수점: 0개
( ○ )

⑥
홀수점: 2개
( △ )

⑦
홀수점: 4개
( × )

⑧
홀수점: 0개
( ○ )

## pensées

이 외에도 여러 가지 방법이 있습니다.

홀수점 4개 중 아무 것이나 2개를 골라 선으로 연결하면 됩니다.
선으로 이은 후 오일러 경로가 되는지 확인해 봅니다.

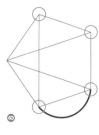

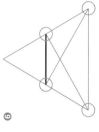

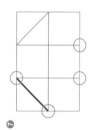

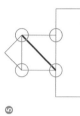

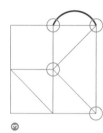

③

---

# 오일러 경로 만들기

✍ 오일러 경로가 되도록 도형에 선을 하나 그어 보세요.

말풍선: 홀수점끼리 선으로 이어 홀수점을 0개 또는 2개로 만들어.

선을 이으면 홀수점에서 짝수점으로 바뀝니다.

홀수점 4개 중에서 2개를 선으로 이으면 두 점은 짝수점이 됩니다.
따라서 홀수점이 2개이므로 오일러 경로입니다.
또한 선을 그을 때에는 반드시 직선으로 그을 필요는 없습니다.

이 외에도 여러 가지 방법이 있습니다.

홀수점 4개 중 아무 것이나 2개를 골라 선으로 연결하면 됩니다.
선으로 이은 후 오일러 경로가 되는지 확인해 봅니다.

## DAY 3

### 방 통과

출발점에서 시작하여 각 방을 한 번씩만 모두 지날 수 있는 것에 ○표, 지날 수 없는 것에 ✕표 하세요. 가로, 세로로만 이동할 수 있습니다.

오른쪽 문제는 모두 통과하는 것이 불가능하구나.

오른쪽 그림과 같이 선으로 이웃한 방끼리 다른 색으로 색칠하면 방을 옮길 때마다 다른 색으로 가게 되므로 방을 모두 지나려면 색이 1개 더 많은 흰색 방부터 출발해야 합니다.

지나갈 수 없습니다.

이 외에도 모든 방을 지나는 방법은 여러 가지가 있습니다.

①

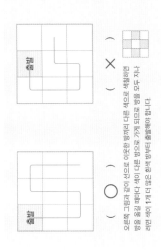

흰색 방과 파란색 방 수가 같으므로 어느 곳에서 출발해도 각 방을 모두 지날 수 있습니다.

이 외에도 모든 방을 지나는 방법은 여러 가지가 있습니다.

②

③ 흰색 방 수가 1개 더 많으므로 흰색 방부터 출발해야 각 방을 모두 지날 수 있습니다.

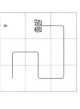

④ 흰색 방과 파란색 방 수가 같지만 각 방을 모두 지날 수 없는 출발점이 있습니다.

들어갈 수는 있지만 나갈 수 없습니다.

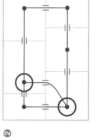

⑥

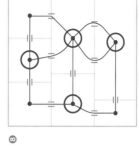

⑧

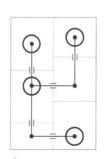

⑤

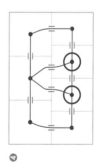

⑦

# DAY 4

## 점과 선으로 나타내기

🖋 밝은 점으로, 문은 점과 점을 연결하는 선으로 나타낸 다음 홀수점을 찾아 ○표 하세요.

점과 점을 연결할 때 직선, 곡선 상관없이 떨어지지 않도록 한 번에 연결하도록 해. 두 선이 겹치지 않도록.

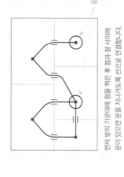

홀수점

먼저 방의 가운데에 점을 찍은 후 점과 점 사이에 문이 있으면 문을 지나가도록 선으로 연결합니다.

②

③

④

①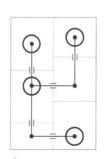

③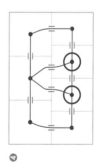

# 1주차 오일러 경로

## DAY 5

### 방문 통과 경로

같은 문을 두 번 지나지 않고 모든 문을 한 번씩만 지나는 경로를 그려 보세요.

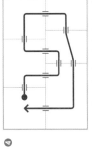

홀수점이 2개인 도형이
한붓그리기는 한 홀수점에서
출발하면 다른 홀수점에서
끝납니다.

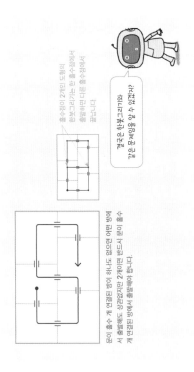

문이 홀수 개 연결된 방이 하나도 없으면 어떤 방에
서 출발해도 상관없지만 2개이면 반드시 문이 홀수
개 연결된 방에서 출발해야 합니다.

결국 문제풀이로
같은 문제들을 알 수 있겠지?

② 문이 홀수 개 연결된 방이 없습니다.

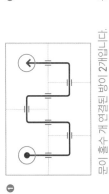

① 문이 홀수 개 연결된 방이 2개입니다.
문이 홀수 개 연결된 방이 2개입니다.
이 외에도 여러 가지 방법이 있습니다.

---

*pensées*

④ 문이 홀수 개 연결된 방이 없습니다.

문이 홀수 개 연결된 방이 있습니다.
이 외에도 여러 가지 방법이 있습니다.

③ 문이 홀수 개 연결된 방이 2개입니다.

⑥ 문이 홀수 개 연결된 방이 2개입니다.

⑤ 문이 홀수 개 연결된 방이 2개입니다.

⑧ 문이 홀수 개 연결된 방이 있습니다.

⑦ 문이 홀수 개 연결된 방이 2개입니다.

# 확인학습

오일러 경로가 되도록 도형에 선을 하나 그어 보세요.

 ❶

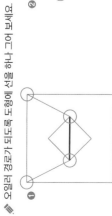 ❷

홀수점 4개 중에서 2개를 선으로 잇습니다.

선으로 이은 후 오일러 경로가 되는지 확인해 봅니다.

이 외에도 여러 가지 방법이 있습니다.

같은 문을 두 번 지나지 않고 모든 문을 한 번씩만 지나는 경로를 그려 보세요.

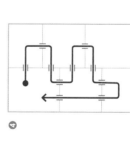 ❸

문이 홀수 개 연결된 방이 2개입니다.

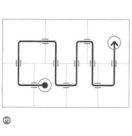 ❹

문이 홀수 개 연결된 방이 없습니다.

pensées

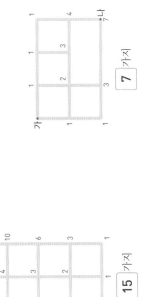

15 가지

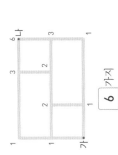

7 가지

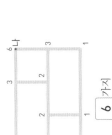

6 가지

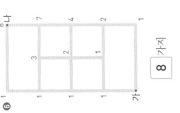

8 가지

# 2주차 최단 거리의 수

## DAY 1

# 최단 거리의 수

✏️ 가에서 나까지 가는 최단 거리의 수를 구하세요.

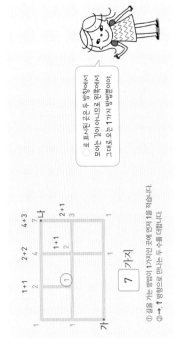

7 가지

① 길을 가는 방법이 1가지인 곳에 먼저 1을 적습니다.

② →, ↑ 방향으로 만나는 두 수를 더합니다.

로 표시된 곳은 두 방향에서 모이는 길이 아니라 곧 왼쪽에서 그대로 오는 1가지 방법뿐이야.

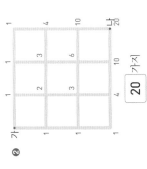

20 가지

❶

6 가지

# DAY 2

## 들렀다 가기

가에서 **나**를 지나 **다**까지 가는 최단 거리의 수를 구하세요.

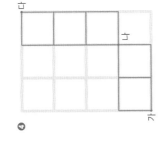

**12** 가지

가→나 1
나→다 1×2 = 12(가지)입니다.

가에서 나를 지나 다까지 가는 가장 짧은 길은 모두 6×2=12(가지)입니다.

가→나, 나→다의 최단 거리의 수를 각각 구한 후 곱해.

❶

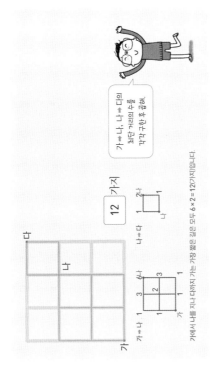

**6** 가지

가→나: 2가지
나→다: 3가지
따라서 모두 2×3=6(가지)입니다.

❷

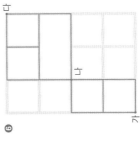

**18** 가지

가→나: 6가지
나→다: 3가지
따라서 모두 6×3=18(가지)입니다.

❸

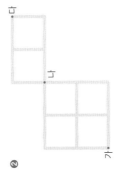

**8** 가지

가→나: 4가지
나→다: 2가지
따라서 모두 4×2=8(가지)입니다.

❹

**12** 가지

가→나: 3가지
나→다: 4가지
따라서 모두 3×4=12(가지)입니다.

❺

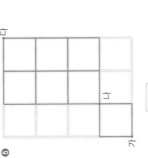

**20** 가지

가→나: 2가지
나→다: 10가지
따라서 모두 2×10=20(가지)입니다.

❻

**12** 가지

가→나: 3가지
나→다: 4가지
따라서 모두 3×4=12(가지)입니다.

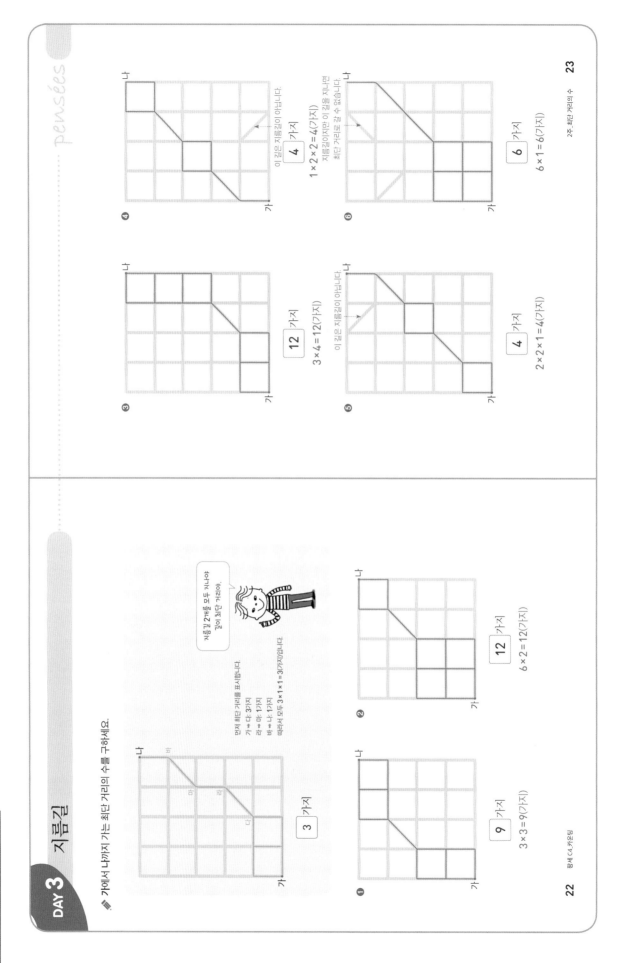

# 2주차 최단 거리의 수

## DAY 3

### 지름길

✏ 가에서 나까지 가는 최단 거리의 수를 구하세요.

먼저 최단 거리를 표시합니다.
가 ➡ 다: 3가지
라 ➡ 마: 1가지
바 ➡ 나: 1가지
따라서 모두 3 × 1 × 1 = 3(가지)입니다.

지름길 2개를 모두 지나야 길이 최단 거리야.

**3** 가지

❶ 3 × 3 = 9(가지)   **9** 가지

❷ 6 × 2 = 12(가지)   **12** 가지

❸ 3 × 4 = 12(가지)   **12** 가지

❹ 이 길은 지름길이 아닙니다.
1 × 2 × 2 = 4(가지)   **4** 가지

❺ 이 길은 지름길이 아닙니다.
2 × 2 × 1 = 4(가지)   **4** 가지

❻ 지름길이지만 이 길을 지나면 최단 거리로 갈 수 없습니다.
6 × 1 = 6(가지)   **6** 가지

# DAY 4

# 갈 수 없는 길

📝 가에서 나까지 가는 최단 거리의 수를 구하세요. 길이 막힌 곳은 갈 수 없습니다.

8 가지

길이 모아지지 않으므로 그대로 씁니다.

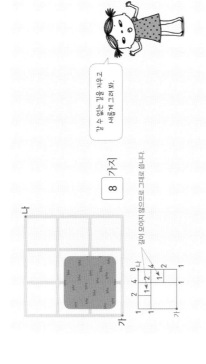

갈 수 없는 길을 지우고 새롭게 그려 봐.

❷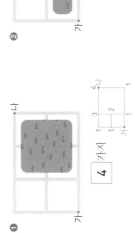

8 가지

❶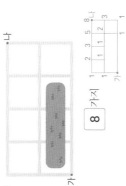

4 가지

❸

15 가지

❹

17 가지

❺

16 가지

❻

19 가지

# 2주차 최단 거리의 수

## DAY 5

### 일방통행

가에서 나까지 가는 최단 거리의 수를 구하세요. 단, 화살표 표시가 된 길은 화살표 방향으로만 갈 수 있습니다.

아래쪽이나 왼쪽을 향한 길로 가면 최단 거리로 갈 수 없어.

아래쪽이나 왼쪽을 향한 길은 지나가면 안되므로 지운 후 세울게 길을 나타내 봅니다.

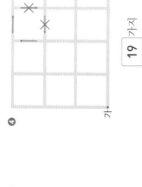

**1**

[ 5 ] 가지

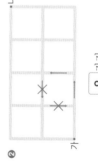

**2**

[ 8 ] 가지

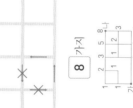

**6**

[ 6 ] 가지

---

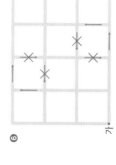
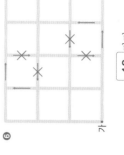
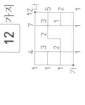
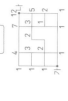

**4**

[ 19 ] 가지

**6**

[ 12 ] 가지

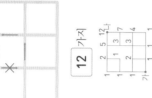
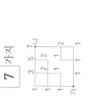

**3**

[ 12 ] 가지

**5**

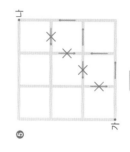

[ 7 ] 가지

pensées

# 확인학습

◆ 가에서 나까지 가는 최단 거리의 수를 구하세요. 길이 막힌 곳은 갈 수 없습니다.

❶

11 가지

❷

23 가지

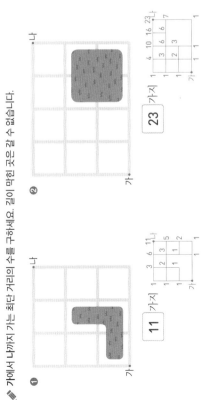

◆ 가에서 나까지 가는 최단 거리의 수를 구하세요. 단 화살표 표시가 된 길은 화살표 방향으로만 갈 수 있습니다.

❸

11 가지

❹

7 가지

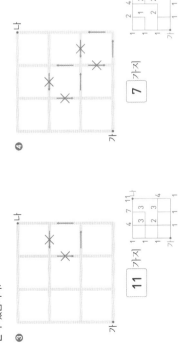

# 3주차 순서가 없는 가짓수

## DAY 1 순서 없이 2개 선택하기

순서 없이 2개를 선택하는 방법은 모두 몇 가지인지 구하세요.

파일 4개 중 2개 선택하기

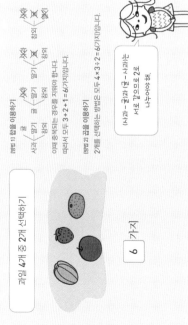

**6** 가지

[방법1] 합을 이용하기

사과 — 귤
귤 — 딸기
딸기 — 참외
참외

이때 중복되는 경우를 지워야 합니다.
따라서 모두 $3+2+1=6$(가지)입니다.

[방법2] 곱을 이용하기
2개를 선택하는 방법은 모두 $4×3÷2=6$(가지)입니다.

(사과 – 귤과 귤 – 사과는
서로 같으므로 2로
나누어야 해.)

❶ 학용품 3개 중 2개 선택하기

**3** 가지

$3×2÷2=3$

❷ 채소 5개 중 2개 선택하기

**10** 가지

$5×4÷2=10$

❸ 구슬 6개 중 2개 선택하기

**15** 가지

$6×5÷2=15$

❹ 4명 중 대표 2명 뽑기

**6** 가지

$4×3÷2=6$

❺ 옷 8벌 중에서 2벌 선택하기

**28** 가지

$8×7÷2=28$

❻ 7명 중 청소 당번 2명 뽑기

**21** 가지

$7×6÷2=21$

# DAY 2

## 1개, 2개 남겨놓고 선택하기

주어진 조건대로 선택하는 방법은 모두 몇 가지인지 구하세요.

과일 5개 중 3개 선택하기 [ 10 ] 가지

(사과, 복숭아를 고른다는 것은 결국 (포도, 귤, 바나나)를 선택한단 셈~)

과일 5개 중 2개를 고른 후 제외한 남은 3개를 선택하면 됩니다.
결국 5개 중 3개 선택하는 방법의 수는 과일 5개 중 2개 선택하는 방법의 수와 같으므로 $5×4÷2=10$(가지)

① 학용품 4개 중 3개 선택하기 [ 4 ] 가지

4개 중 1개를 고른 후 제외한 남은 3개를 선택하면 됩니다. 따라서 학용품 4개 중 1개 선택하는 방법의 수와 같습니다.

② 음료수 5개 중 4개 선택하기 [ 5 ] 가지

5개 중 1개를 고른 후 1개를 제외한 남은 4개를 선택하면 됩니다. 따라서 음료수 5개 중 1개 선택하는 방법의 수와 같습니다.

③ 공 6개 중 4개 선택하기 [ 15 ] 가지

6개 중 2개 선택하는 방법의 수와 같으므로 $6×5÷2=15$

④ 5명 중 대표 3명 뽑기 [ 10 ] 가지

5명 중 2명 선택하는 방법의 수와 같으므로 $5×4÷2=10$

⑤ 채소 7개 중 5개 선택하기 [ 21 ] 가지

7개 중 2개 선택하는 방법의 수와 같으므로 $7×6÷2=21$

⑥ 8명 중 대회 참가자 6명 뽑기 [ 28 ] 가지

8명 중 2명 선택하는 방법의 수와 같으므로 $8×7÷2=28$

# 3주차 순서가 없는 가짓수

## 선분의 개수와 악수하기

두 점을 이어 만든 선분의 개수와 서로 한 번씩 악수하는 횟수를 구해 보세요.

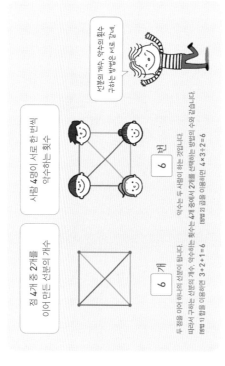

점 4개 중 2개를
이어 만든 선분의 개수

**6** 개

사람 4명이 서로 한 번씩
악수하는 횟수

**6** 번

두 점을 이어 하나의 선분이 만들어집니다.
악수는 두 사람이 하는 것입니다.
따라서 구하는 선분의 개수 악수하는 횟수는 4개 중에서 2개를 선택하는 방법의 수와 같습니다.
[방법 1] 합을 이용하면 3+2+1=6
[방법 2] 곱을 이용하면 4×3÷2=6

선분의 개수, 악수의 횟수
구하는 방법은 서로 같네.

**❶** 선을 직접 그은 후 개수를 세어 확인해 봅니다.

점 3개 중 2개를
이어 만든 선분의 개수

**3** 개

사람 3명이 서로 한 번씩
악수하는 횟수

**3** 번

---

*pensées*

**❷** 선을 직접 그은 후 개수를 세어 확인해 봅니다.

점 5개 중 2개를
이어 만든 선분의 개수

**10** 개

사람 5명이 서로 한 번씩
악수하는 횟수

**10** 번

5개 중에서 2개를 선택하는 방법의 수와 같으므로 5×4÷2=10

**❸**

점 6개 중 2개를
이어 만든 선분의 개수

**15** 개

사람 6명이 서로 한 번씩
악수하는 횟수

**15** 번

6개 중에서 2개를 선택하는 방법의 수와 같으므로 6×5÷2=15

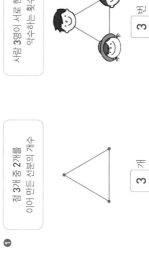

**DAY 4**

# 리그와 토너먼트

✎ 리그는 모든 팀이 서로 한 번씩 경기하여 순위를 결정하는 경기 방식이고, 토너먼트는 대진표에 따라 경기를 하여 진 팀은 바로 탈락하고, 이긴 팀끼리 경기하여 우승팀을 정하는 경기 방식입니다. 리그와 토너먼트의 경기 수를 구해 보세요.

4명이 참가한 리그
6 번

4명이 참가한 토너먼트
우승
3 번

리그는 순위 정하기에 좋고, 토너먼트는 우승팀을 정하기에 좋아.

한 경기에서 진 팀이 생기므로 토너먼트에서는 (진 팀 수)=(경기 수)야.

리그 경기 수는 4명 중 2명을 선택하는 방법의 수와 같으므로
[방법1] 3+2+1=6   [방법2] 4×3÷2=6
토너먼트 경기 수는 우승팀을 제외하면 모든 팀이 한 번씩 지게 됩니다.
따라서 (경기 수)=(참가한 팀 수)-1이므로 4-1=3

① 6명이 참가한 리그
15 번
6×5÷2=15

6명이 참가한 토너먼트
우승
5 번
6-1=5

36   팡세 C4 카운팅

② 8명이 참가한 리그
28 번
8×7÷2=28

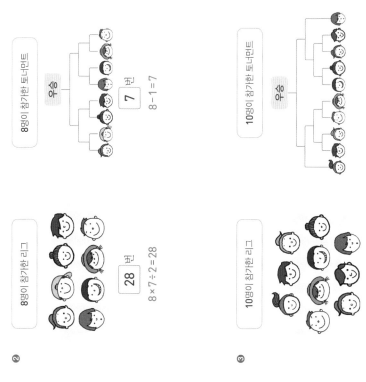

8명이 참가한 토너먼트
우승
7 번
8-1=7

③ 10명이 참가한 리그
45 번
10×9÷2=45

10명이 참가한 토너먼트
우승
9 번
10-1=9

3주 순서가 없는 가짓수   37

# 3주차 순서가 없는 가짓수

## DAY 5 토너먼트 대진표

다음을 보고 토너먼트 대진표의 빈칸을 완성해 보세요.

• A, B, C, D 네 명의 학생이 토너먼트로 대결하였습니다.
• B는 D에게 졌습니다.
• C가 우승하였습니다.

위로 올라갈수록 이긴 학생이 이름을 한 번 더 쓰면 돼.

C가 우승하였으므로 B와 D는 맨 처음에 대결하였습니다.

❶
• A, B, C, D 네 명의 학생이 토너먼트로 대결하였습니다.
• A는 경기를 2번 하였습니다.
• C는 B에게 이겼지만 A에게 졌습니다.

또는
C   B

❷
• A, B, C, D, E, F 여섯 명의 학생이 토너먼트로 대결하였습니다.
• F는 경기를 3번 하였습니다.
• C와 D는 경기를 2번 하였습니다.
• E를 이긴 학생이 우승하였습니다.

세 번째 조건에서 D는 경기를 2번 하였으므로 D는 A와 맨 처음 만나서 이겼습니다.

❸
• A, B, C, D, E, F 여섯 명의 학생이 토너먼트로 대결하였습니다.
• A, C, E, F는 경기를 1번만 하였습니다.
• B는 C와 맨 처음 대결하였습니다.
• F를 이긴 학생은 우승하지 못했습니다.

세 번째 조건에서 C와 F의 위치를 알 수 있습니다.

# 3 주차

## 확인학습

✏️ 주어진 조건대로 선택하는 방법은 모두 몇 가지인지 구하세요.

❶

6명 중 대표 2명 뽑기

15 가지

$6 \times 5 \div 2 = 15$

❷

6명 중 대표 4명 뽑기

15 가지

6명 중 2명 선택하는 방법이 수와
같으므로 $6 \times 5 \div 2 = 15$

✏️ 리그와 토너먼트의 경기 수를 구해 보세요.

❸

7명이 참가한 리그

21 번

리그 경기 수는 7명 중 2명을
선택하는 방법이 수와 같으므로
$7 \times 6 \div 2 = 21$

7명이 참가한 토너먼트

우승

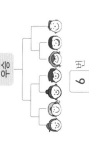

6 번

토너먼트 경기 수는
(경기 수)=(참가한 팀 수)-1
이므로 $7 - 1 = 6$

# 4주차 교점과 영역

## DAY 1

### 교점의 개수

◈ 선과 선이 만나서 생기는 점을 교점이라고 합니다. 다음 그림에서 직선과 교점의 개수를 세어 보세요.

직선의 개수: 3 개
교점의 개수: 3 개

직선을 긋는 방향에 따라 교점의 개수가 다양하게 나와요.

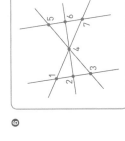

❶
직선의 개수: 2 개
교점의 개수: 1 개

❷
직선의 개수: 3 개
교점의 개수: 1 개

❸
직선의 개수: 3 개
교점의 개수: 3 개

❹
직선의 개수: 4 개
교점의 개수: 3 개

❺
직선의 개수: 4 개
교점의 개수: 5 개

❻
직선의 개수: 5 개
교점의 개수: 7 개

# DAY 2 영역의 개수

원과 같은 도형에 직선을 그었을 때 나누어지는 부분을 영역이라고 합니다. 다음 그림에서 직선과 영역의 개수를 세어 보세요.

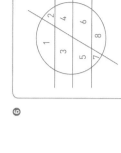

영역의 개수는 도형을 각 선을 따라 잘랐을 때 나오는 조각의 수와 같아.

직선의 개수: 2 개
영역의 개수: 3 부분

**①**

직선의 개수: 1 개
영역의 개수: 2 부분

**②**

직선의 개수: 2 개
영역의 개수: 4 부분

**③**

직선의 개수: 3 개
영역의 개수: 6 부분

**⑤**

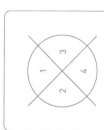

직선의 개수: 4 개
영역의 개수: 6 부분

**④**

직선의 개수: 3 개
영역의 개수: 7 부분

**⑥**

직선의 개수: 4 개
영역의 개수: 8 부분

# 4주차 교점과 영역

## DAY 3 조건에 맞게 직선 긋기

교점 또는 영역의 개수가 다음과 같도록 직선을 그어 보세요.

개수가 맞는지 번호를 써서 확인해.

직선 3개로 교점 3개 만들기

직선 3개로 영역 4부분 만들기

❶ 직선 3개로 교점 2개 만들기

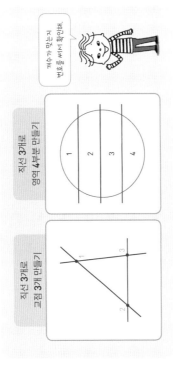

❷ 직선 2개로 영역 3부분 만들기

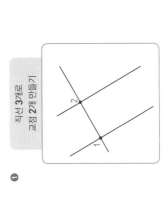

이 외에도 여러 가지 방법이 있습니다.

❸ 직선 4개로 교점 1개 만들기

❹ 직선 3개로 영역 5부분 만들기

❺ 직선 4개로 교점 6개 만들기

❻ 직선 3개로 영역 7부분 만들기

이 외에도 여러 가지 방법이 있습니다.

pensées

# 교점의 최대 개수

교점이 최대 개수가 되도록 직선을 1개를 더 긋고, 교점의 최대 개수를 구하세요.

이미 그려진 선을 모두 지나도록 새로운 선을 그려야 해.

①
직선 4개

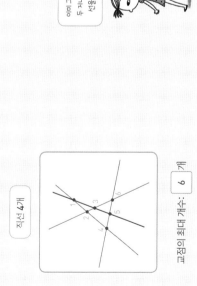

교점의 최대 개수: 6 개

②
직선 3개

직선 2개

교점의 최대 개수: 1 개

교점의 최대 개수: 3 개

이 외에도 여러 가지 방법이 있습니다.

③
직선 5개

④
직선 6개

교점의 최대 개수: 10 개

교점의 최대 개수: 15 개

이 외에도 여러 가지 방법이 있습니다.

⑤ 직선의 개수와 교점의 최대 개수의 규칙을 찾아 표를 완성해 보세요.

| 직선의 개수(개) | 2 | 3 | 4 | 5 | 6 | 7 | 8 |
|---|---|---|---|---|---|---|---|
| 교점의 최대 개수(개) | 1 | 3 | 6 | 10 | 15 | 21 | 28 |

$1+2$ → 3
$1+2+3$ → 6
$1+2+3+4$ → 10
$1+2+3+4+5$ → 15
$1+2+3+4+5+6$ → 21
$1+2+3+4+5+6+7$ → 28

직선의 개수가 ☐개일 때, 교점의 최대 개수는 $1+2+3+\cdots\cdots+(☐-1)$(개)입니다.

# 4주차 교점과 영역

## DAY 5

## 영역의 최대 개수

✎ 영역이 최대 개수가 되도록 직선 1개를 더 긋고, 영역의 최대 개수를 구하세요.

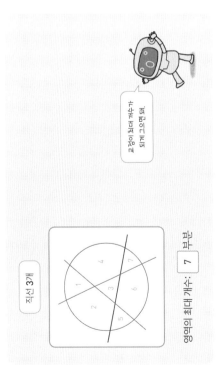

직선 3개

영역의 최대 개수: 7 부분

교점이 최대 개수가 되게 그으면 돼.

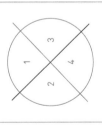

❶

직선 1개

영역의 최대 개수: 2 부분

❷

직선 2개

영역의 최대 개수: 4 부분

이 외에도 여러 가지 방법이 있습니다.

---

❸

직선 4개

영역의 최대 개수: 11 부분

❹

직선 5개

영역의 최대 개수: 16 부분

이 외에도 여러 가지 방법이 있습니다.

❺ 직선의 개수와 영역의 최대 개수의 규칙을 찾아 표를 완성해 보세요.

| 직선의 개수(개) | 1 | 2 | 3 | 4 | 5 | 6 | 7 | …… |
|---|---|---|---|---|---|---|---|---|
| 영역의 최대 개수(부분) | 2 | 4 | 7 | 11 | 16 | 22 | 29 | …… |

| | 1+1 | 1+1+2 | 1+1+2+3 | 1+1+2+3+4 | 1+1+2+3+4+5 | 1+1+2+3+4+5+6 | 1+1+2+3+4+5+6+7 |
|---|---|---|---|---|---|---|---|

직선의 개수가 ▢개일 때, 영역의 최대 개수는 1+(1+2+3+……+ ▢)(부분)입니다.

pensées

# 확인학습

✏ 교점의 개수가 다음과 같도록 직선을 그어 보세요.

❶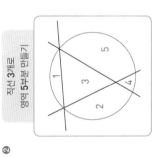

직선 **3개**로
교점 **1개** 만들기

❷

직선 **3개**로
영역 **5부분** 만들기

✏ 직선의 개수와 영역의 최대 개수 사이의 규칙을 찾아 직선이 **8개**일 때 영역의 최대 개수를 구하세요.

❸

| 직선의 개수(개) | 1 | 2 | 3 | 4 | 5 | 6 | 7 |
|---|---|---|---|---|---|---|---|
| 영역의 최대 개수(부분) | 2 | 4 | 7 | 11 | 16 | 22 | 29 |

1+1  1+1+2  1+1+2+3  1+1+2+3+4  1+1+2+3+4+5  1+1+2+3+4+5+6  1+1+2+3+4+5+6+7

영역의 최대 개수: 37

1+1+2+3+4+5+6+7+8=37

# TEST 1

## 마무리 평가

❖ 다음 중 출발점과 도착점이 같은 오일러 경로는 ○, 출발점과 도착점이 다른 오일러 경로는 △, 오일러 경로가 아니면 ✕를 하세요.

①
홀수점: 2개 △

②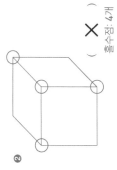
홀수점: 4개 ✕

③ 
홀수점: 0개 ○

④
홀수점: 2개 △

❖ 가에서 나까지 가는 최단 거리의 수를 구하세요.

⑤
15 가지

⑥
10 가지

---

Pensées
제한 시간 15분
맞은 개수 /9개

❖ A, B, C, D, E, F 여섯 명의 학생이 토너먼트로 대결하였습니다. 다음을 보고 대진표의 빈칸을 완성해 보세요.

⑦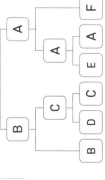

• A가 우승했습니다.
• B와 C만 경기를 2번 하였습니다.
A는 경기를 3번, D, E, F는 경기를 1번 하였습니다.

❖ 교점의 개수가 다음과 같도록 직선을 그어 보고, 교점의 최대 개수를 구하세요.

⑧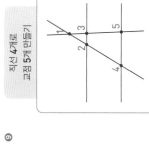
직선 4개로 교점 4개 만들기

⑨
직선 4개로 교점 5개 만들기

이 외에도 여러 가지 방법이 있습니다.

## TEST 2 마무리 평가

❖ 출발점에서 시작하여 각 방을 한 번씩만 모두 지날 수 있는 것에 ○표, 지날 수 없는 것에 ×표 하세요. 가로, 세로로만 이동할 수 있습니다.

①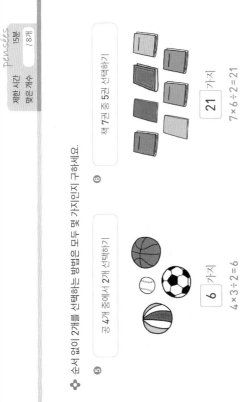

출발

( ○ )

② 출발

지나갈 수 없습니다.

( × )

방을 옮길 때마다 색이 다른 방으로 가게 되므로 방을 모두 지나려면 색이 1개 더 많은 흰색 방부터 출발해야 합니다.

❖ 가에서 나까지 가는 최단 거리의 수를 구하세요. 길이 막힌 곳은 갈 수 없습니다.

③ 9 가지

④ 12 가지

❖ 순서 없이 2개를 선택하는 방법은 모두 몇 가지인지 구하세요.

⑤ 공 4개 중에서 2개 선택하기

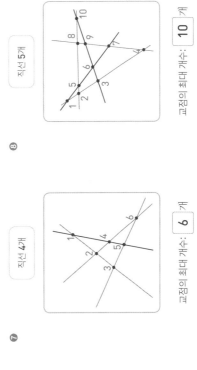

6 가지

$4 \times 3 \div 2 = 6$

⑥ 책 7권 중 5권 선택하기

21 가지

$7 \times 6 \div 2 = 21$

❖ 교점이 최대 개수가 되도록 선을 더 긋고, 교점의 최대 개수를 구하세요.

⑦ 직선 4개

교점의 최대 개수: 6 개

⑧ 직선 5개

교점의 최대 개수: 10 개

# 마무리 평가

## TEST 3  마무리 평가

❖ 오일러 경로가 되도록 도형에 선을 하나 그어 보세요.

**①**

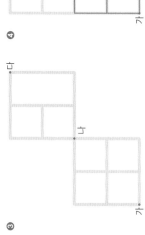

홀수점 4개 중에서 2개를 선으로 잇습니다.
선으로 이은 후 오일러 경로가 되는지 확인해 봅니다.
이 외에도 여러 가지 방법이 있습니다.

❖ 가에서 나를 지나 다까지 가는 최단 거리의 수를 구하세요.

**③**

24 가지

가 ➡ 나: 6가지, 나 ➡ 다: 4가지
따라서 모두 6 × 4 = 24(가지)입니다.

**④**

18 가지

가 ➡ 나: 3가지, 나 ➡ 다: 6가지
따라서 모두 3 × 6 = 18(가지)입니다.

❖ 리그와 토너먼트의 경기 수를 구해 보세요.

**⑤**

9명이 참가한 리그

36 번

리그 경기 수는 9명 중 2명을
선택하는 방법의 수와 같으므로
9 × 8 ÷ 2 = 36

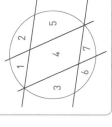
8 번

토너먼트 경기 수는
(경기 수) = (참가한 팀 수) − 1이므로
9 − 1 = 8

❖ 영역의 개수가 다음과 같도록 직선을 그어 보세요.

**⑥**

직선 2개로
영역 4부분 만들기

**⑦**

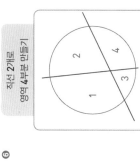

직선 4개로
영역 7부분 만들기

# TEST 4

# 마무리 평가

❖ 방은 점으로, 묶은 점을 점과 점을 연결하는 선으로 나타낸 다음 흘수점을 찾아 ○표 하세요.

❶

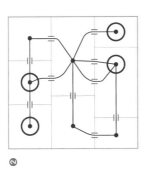

❷

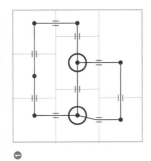

❖ 가에서 나까지 가는 최단 거리의 수를 구하세요. 단 화살표 표시가 된 길은 화살표 방향으로만 갈 수 있습니다.

❸

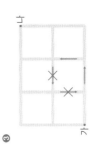

5 가지

❹

20 가지

❖ 두 점을 이어 만든 선분의 개수와 서로 한 번씩 악수하는 횟수를 구해 보세요.

❺

점 7개 중 2개를 이어 만든 선분의 개수

21 개

사람 7명이 서로 한 번씩 악수하는 횟수

21 번

7개 중에서 2개를 선택하는 방법의 수와 같으므로 7×6÷2=21

❖ 영역이 최대 개수가 되도록 선을 더 긋고, 영역의 최대 개수를 구하세요.

❻

직선 4개

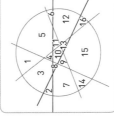

영역의 최대 개수: 11 부분

❼

직선 5개

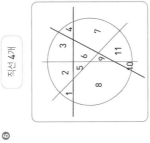

영역의 최대 개수: 16 부분

# TEST 5 마무리 평가

❖ 같은 문을 두 번 지나지 않고 모든 문을 한 번씩만 지나는 경로를 그려 보세요.

❶

문이 홀수 개 연결된 방이 있습니다.

❷

문이 홀수 개 연결된 방이 2개입니다.

이 외에도 여러 가지 방법이 있습니다.

❖ 가에서 나까지 가는 최단 거리의 수를 구하세요.

❸

3 가지

$3×1×1=3$(가지)

❹

이 길은 지름길이 아닙니다.

6 가지

$2×3=6$(가지)

---

Pensées

제한 시간 15분

맞은 개수 /7개

❖ 주어진 조건대로 선택하는 방법은 모두 몇 가지인지 구하세요.

❺ 장난감 5개 중 3개 선택하기

10 가지

5개 중 2개 선택하는 방법의 수와 같으므로 $5×4÷2=10$

❻ 색연필 9자루 중 7자루 선택하기

36 가지

9자루 중 2자루 선택하는 방법의 수와 같으므로 $9×8÷2=36$

❖ 직선의 개수와 교점의 최대 개수 사이의 규칙을 찾아 직선이 9개일 때 교점의 최대 개수를 구하세요.

❼

| 직선의 개수(개) | 1 | 2 | 3 | 4 | 5 | 6 | 7 | ..... |
|---|---|---|---|---|---|---|---|---|
| 교점의 최대 개수(개) | 1 | 3 | 6 | 10 | 15 | 21 | 28 | ..... |

$1+2$   $1+2+3$   $1+2+3+4$   $1+2+3+4+5$   $1+2+3+4+5+6$   $1+2+3+4+5+6+7$

교점의 최대 개수: 45 개

$1+2+3+4+5+6+7+8+9=45$

pensées

pensées

*일부 교재 출시 예정입니다

| 대상 | 사고력 | 도형 | 연산 | 서술형 | 영재교육원 대비 |
|---|---|---|---|---|---|
| | 사고력수학의 시작 **팡세** | 하루 10분 도형 학습지 **플라토** | 상위권으로 가는 연산 학습지 **응용연산** | 하루 10분 서술형/문장제 학습지 **수학독해** | 영재교육원 관찰추천 사고력 수학 **필즈수학** |
| 6세 | S1 패턴<br>S2 퍼즐과 전략<br>S3 유추<br>S4 카운팅 | S1 평면규칙<br>S2 도형조작<br>S3 입체설계<br>S4 공간지각 | S1 10까지의 수<br>S2 20까지의 수<br>S3 한 자리 수 덧셈<br>S4 덧셈과 뺄셈 | S1 9까지의 수<br>S2 방향과 위치<br>S3 더하기와 빼기<br>S4 속성 분류 | |
| 7세 | P1 패턴<br>P2 퍼즐과 전략<br>P3 유추<br>P4 카운팅 | P1 평면규칙<br>P2 도형조작<br>P3 입체설계<br>P4 공간지각 | P1 50까지의 수<br>P2 100까지의 수<br>P3 덧셈과 뺄셈(1)<br>P4 덧셈과 뺄셈(2) | P1 20까지의 수<br>P2 비교하기<br>P3 덧셈과 뺄셈<br>P4 모양과 규칙 | |
| 초1 | A1 패턴<br>A2 퍼즐과 전략<br>A3 유추<br>A4 카운팅 | A1 평면규칙<br>A2 도형조작<br>A3 입체설계<br>A4 공간지각 | A1 한 자리 수 덧셈<br>A2 (십몇)-(몇)<br>A3 덧셈과 뺄셈(1)<br>A4 덧셈과 뺄셈(2) | A1 100까지의 수<br>A2 덧셈과 뺄셈 I<br>A3 시계와 규칙<br>A4 덧셈과 뺄셈 II | |
| 초2 | B1 패턴<br>B2 퍼즐과 전략<br>B3 유추<br>B4 카운팅 | B1 평면규칙<br>B2 도형조작<br>B3 입체설계<br>B4 공간지각 | B1 곱셈구구<br>B2 나눗셈구구<br>B3 덧셈과 뺄셈<br>B4 곱셈과 나눗셈 | B1 네 자리 수<br>B2 덧셈과 뺄셈<br>B3 곱셈구구<br>B4 길이와 시간 | 필즈 필즈 필즈<br>입문 상 입문 중 입문 하 |
| 초3 | C1 패턴<br>C2 퍼즐과 전략<br>C3 유추<br>C4 카운팅 | C1 평면규칙<br>C2 도형조작<br>C3 입체설계<br>C4 공간지각 | C1 분수와 소수<br>C2 여러 가지 분수<br>C3 곱셈과 나눗셈<br>C4 큰 수의 계산 | C1 덧셈과 뺄셈<br>C2 곱셈과 나눗셈<br>C3 측정 단위<br>C4 분수와 소수 | 필즈수학 필즈수학<br>초급 상 초급 하 |
| 초4 | D1 패턴<br>D2 퍼즐과 전략<br>D3 유추<br>D4 카운팅 | D1 평면규칙<br>D2 도형조작<br>D3 입체설계<br>D4 공간지각 | D1 분수 덧셈·뺄셈<br>D2 소수 덧셈·뺄셈<br>D3 혼합 계산<br>D4 약수와 배수 | D1 자연수<br>D2 평면도형<br>D3 분수와 소수<br>D4 통계와 규칙 | 필즈수학 필즈수학<br>중급 상 중급 하 |
| 초5 | E1 패턴<br>E2 퍼즐과 전략<br>E3 유추<br>E4 카운팅<br>(2021년 출시 예정 E1) | E1 평면규칙<br>E2 도형조작<br>E3 입체설계<br>E4 공간지각 | E1 분수 덧셈·뺄셈<br>E2 분수의 곱셈<br>E3 분수의 나눗셈<br>E4 분수·소수 혼합 | E1권<br>E2권<br>E3권<br>E4권<br>(2021년 출시 예정) | 필즈수학 필즈수학<br>고급 상 고급 하 |
| 초6 | F1 패턴<br>F2 퍼즐과 전략<br>F3 유추<br>F4 카운팅<br>(2021년 출시 예정 F1) | F1 평면규칙<br>F2 도형조작<br>F3 입체설계<br>F4 공간지각 | F1권<br>F2권<br>F3권<br>F4권<br>(2021년 출시 예정) | F1권<br>F2권<br>F3권<br>F4권<br>(2021년 출시 예정) | |

Man is but a reed,
the most feeble thing in nature;
but he is a thinking reed,

"인간은 자연에서 가장 연약한 갈대에 불과하다.
하지만 인간은 생각하는 갈대이다."

Blaise Pascal, 블레즈 파스칼

# 초등 수학 교구 상자

## 펜토미노턴

### 평면 공간감각을 길러주는 회전 펜토미노 퍼즐

초등학생들이 어려워하는 '평면도형의 이동'을 펜토미노와 패턴블록으로 도형을 직접 돌려 보며 재미있게 해결하는 공간감각 퍼즐입니다.

## 큐브빌드

### 입체 공간감각을 길러주는 멀티큐브 퍼즐

머릿속으로 그리기 어려운 입체도형을 쌓기나무와 멀티큐브를 이용하여 직접 만들어 위, 앞, 옆 모양을 관찰하고, 다양한 입체 모양을 만드는 공간감각 퍼즐입니다.

## 폴리탄

### 도형 감각을 길러주는 입체 칠교 퍼즐

정사각형을 7조각으로 자른 '입체 칠교'와 직각이등변삼각형을 붙인 '입체 볼로'를 활용하여 평면뿐만 아니라 다양한 입체도형 문제를 해결하는 퍼즐입니다.

## 트랜스넘버

### 자유자재로 식을 만드는 멀티 숫자 퍼즐

자유자재로 식을 만들고 이를 변형, 응용하는 활동을 통해 연산 원리와 연산감각을 길러주는 멀티 숫자 퍼즐입니다.

## 머긴스빙고

### 수 감각을 길러주는 창의 연산 보드 게임

빙고 게임과 머긴스 게임을 활용하여 수 감각과 연산 능력을 끌어올리고 전략적 사고를 키우는 사고력 보드 게임입니다.

## 폴리스퀘어

### 공간감각을 길러주는 입체 폴리오미노 보드 게임

모노미노부터 펜토미노까지의 폴리오미노를 이용하여 다양한 모양을 만들어 보고, 여러 가지 땅따먹기 게임 등을 통해 공간감각을 기를 수 있는 보드 게임입니다.

## 큐보이드

### 입체를 펼치고 접는 전개도 퍼즐

여러 가지 모양의 면을 자유롭게 연결하여 접었다 펼치는 활동을 통해 정육면체, 직육면체 전개도의 모든 것을 알아보는 전개도 퍼즐입니다.